L211

Cours d'écriture

The Open University

Envol

Upper intermediate French

This publication forms part of the Open University course L211 *Envol*: upper intermediate French. Details of this and other Open University courses can be obtained from the Student Registration and Enquiry Service, The Open University, PO Box 197, Milton Keynes MK7 6BJ, United Kingdom: tel. +44 (0)845 300 60 90, email general-enquiries@open.ac.uk

Alternatively, you may visit the Open University website at www.open.ac.uk where you can learn more about the wide range of courses and packs offered at all levels by The Open University.

To purchase a selection of Open University course materials visit www.ouw.co.uk, or contact Open University Worldwide, Walton Hall, Milton Keynes MK7 6AA, United Kingdom for a brochure. tel. +44 (0)1908 858793; fax +44 (0)1908 858787; email ouw-customer-services@open.ac.uk

The Open University
Walton Hall, Milton Keynes
MK7 6AA

First published 2009.

Edited and designed by The Open University.

Typeset by The Open University.

Printed and bound in the United Kingdom by Latimer Trend & Company Ltd, Plymouth.

ISBN 978 0 7492 2534 6

1.1

FSC
Mixed Sources
Product group from well-managed forests and other controlled sources
Cert no. SGS-COC-005493
www.fsc.org
© 1996 Forest Stewardship Council

The paper used in this publication contains pulp sourced from forests independently certified to the Forest Stewardship Council (FSC) principles and criteria. Chain of custody certification allows the pulp from these forests to be tracked to the end use (see www.fsc.org).

Table des matières

L211 Course team

Central course team

Sue Brennan (course team secretary)

Xavière Hassan (author, coordinator, co-chair)

Marie-Noëlle Lamy (author, coordinator)

Tim Lewis (author, coordinator, co-chair)

Françoise Parent-Ugochukwu (author)

Hélène Pulker (author, coordinator)

Shirley Scripps (course manager)

Elodie Vialleton (author, coordinator)

Lydia White (course team secretary)

Course production team

Mandy Anton (graphic designer)

Guy Barrett (interactive media developer)

Catherine Bedford (editor)

Lene Connolly (print buying controller)

Beccy Dresden (media project manager)

Kim Dulson (assistant print buyer)

Vee Fallon (media assistant)

Elaine Haviland (editor)

Sarah Hofton (graphic designer)

Chris Hough (graphic designer)

Neil Mitchell (graphic designer)

Sne Padhya (media assistant)

Sam Thorne (editor)

Nicola Tolcher (media assistant)

Susanne Umerski (media assistant)

Critical reader (Cours d'écriture)

Neil Broadbent

External assessor

Nicole McBride (London Metropolitan University)

Audio-visual production

Audio and video sequences produced by Autonomy Multimedia and Mediadrome for Learning and Teaching Solutions (Open University).

Original L211 audio and video sequences compiled and produced by the BBC.

Special thanks

The course team would like to thank everyone who contributed to the course by being filmed or recorded, or by providing photographs.

The course team would also like to acknowledge the authors and consultant authors of the first edition of L211: Bernard Haezewindt, Stella Hurd, Marie-Noëlle Lamy, Hélène Mulphin, Jenny Ollerenshaw, Duncan Sidwell, Pete Smith, Anne Stevens, Peregrine Stevenson (authors); Martyn Bird, Marie-Thérèse Bougard, Chloë Gallien, Marie-Marthe Gervais-Le Garff, Christie Price, Peter Read, Yvan Tardy (consultant authors).

Introduction

Bienvenue dans le Cours d'écriture d'Envol ! Il va vous permettre d'améliorer votre pratique de l'écrit.

L'objectif du Cours d'écriture est de vous aider à acquérir des compétences pour la lecture et l'écriture de textes plus élaborés, en passant de l'analyse de la structure des phrases à celle des paragraphes puis à celle de textes entiers, de styles et de natures différents.

Ce cours est divisé en six unités, que vous étudierez à la fin de chaque unité d'Envol. Chaque unité du Cours d'écriture contient plusieurs sections. Les points clés du cours figurent au début de chaque section. Les activités du Cours d'écriture ont été conçues pour vous faire travailler sur la langue, ses constituants et ses structures, le plus souvent à partir de textes. Ceux-ci sont parfois suivis de notes de vocabulaire et de notes culturelles qui en éclaircissent le contexte. Certaines activités vous permettront de revoir des points abordés précédemment, ou de réfléchir à votre travail de façon critique pour améliorer vos textes et mesurer vos progrès. À la fin du livre, vous trouverez les corrigés des activités de chaque unité.

Nous vous conseillons de suivre ce cours aussi systématiquement que possible. Essayez de l'étudier section par section, même si vous n'avez pas le temps de compléter toutes les activités. C'est ainsi que vous allez pouvoir évaluer et améliorer votre compréhension des textes, enrichir votre vocabulaire et perfectionner vos compétences à l'écrit en français. Petit à petit, vous pourrez acquérir une certaine maîtrise de ces techniques d'écriture, ce qui vous donnera confiance en vous pour rédiger des textes de toute sorte, en utilisant divers styles et divers registres.

Nous espérons que vous trouverez aussi du plaisir à lire et à écrire des textes français, et que vous découvrirez des auteurs que vous aurez envie de retrouver dans vos lectures.

Les icônes suivantes sont utilisées dans ce livre pour vous renvoyer aux autres supports de L211 :

 Dictionnaire

 Livre de grammaire

 Guide de l'apprenant

Dans cette unité vous allez vous familiariser avec les noms, les adjectifs, les pronoms et les principaux temps du verbe, à travers une variété de textes, y compris un poème de Baudelaire et un passage descriptif de Zola. Une fois que vous avez complété l'unité vous serez capable de :

- comprendre les termes de « nom », « adjectif » et « pronom » et les utiliser dans une phrase ;

- utiliser synonymes, antonymes et homonymes ;

- comprendre la cohérence des phrases et la fonction des pronoms relatifs ;

- paraphraser un texte ;

- modifier la perspective des textes en changeant le temps des verbes.

Unité 1

Section 1.1 Le nom

Au cours de cette section, nous allons nous intéresser plus particulièrement au **nom**, un des éléments essentiels de toute communication. Vous allez voir que certains noms peuvent signifier presque la même chose et que d'autres noms expriment le contraire les uns des autres. En manipulant ces noms, il vous sera possible d'élargir votre vocabulaire actif et de rendre vos textes plus variés.

> ### Point clé
> - Améliorer un texte en utilisant des synonymes

Qu'est-ce qu'un nom ? C'est un mot qui sert à nommer des choses, des animaux, des concepts ou des personnes. Le nom constitue le matériau essentiel de la langue. Les noms sont masculins ou féminins, singuliers ou pluriels. Ils se partagent entre deux catégories : les **noms communs** (p. ex. : bonheur, chapeau, santé) et les **noms propres** (p. ex. : Edimbourg, Alfred).

Avant de faire un travail plus élaboré sur les noms, il faut d'abord pouvoir les identifier. C'est ce que vous allez faire dans l'activité suivante. Ce travail ne sera pas difficile car vous savez déjà que le nom est souvent précédé par un article défini (« le, la, les ») ou indéfini (« un, une, des »), des adjectifs possessifs (« mon, ma, mes », etc.) ou des adjectifs démonstratifs (« ce, cette, ces »). Cherchez ces mots, et vous trouverez une grande partie des noms !

Activité 1.1.1 _____

Identifiez tous les noms (il y en a onze) d'un extrait de l'écrivain Jean Giono (1895–1970) tiré de « Faire son bonheur ».

> Dès qu'on ne fait plus son bonheur soi-même, on est perdu... J'en connais ou j'ai connu personnellement la plupart de ceux qui font métier politique de pousser à la masse. Ce sont des gens fortement individualisés... Ils amassent tout le monde sauf eux-mêmes : ils se tiennent en dehors et au-dessus. Ils dirigent, ils commandent, ils ne sont que les apôtres d'une nouvelle hiérarchie dans laquelle ils ont pris soin de marquer leur place au sommet.

(Jean Giono, « Faire son bonheur » dans Robert Besson (éd.), _Le Français aux examens professionnels_, Paris, Bordas, 1988, p. 356)

_____

Certains mots expriment une idée plus ou moins semblable ou dénotent une même personne, une même chose ou une même action. On dit que ces mots sont des **synonymes**. Par exemple, « médecin » et « docteur », ou « bonheur » et « contentement » sont synonymes.

Les synonymes sont des mots de sens proche mais qui ne signifient pas exactement la même chose ; de plus, ils ne sont pas complètement interchangeables. En effet, les synonymes d'un mot ou d'une expression ont des connotations, ou des sens secondaires, divers. Elles nous obligent à faire un choix lorsque nous voulons exprimer une idée. Ce choix est souvent imposé par le contexte dans lequel le mot apparaît et par le caractère spécifique du registre ou du style du texte, chose que vous allez étudier plus en détail dans la section 1.4.

En anglais, par exemple, lorsqu'on jette une pierre, on peut employer les verbes *cast*, *throw* et *chuck*. Ce sont des synonymes, mais on ne peut pas les employer comme on veut dans n'importe quel contexte. Il importe donc de ne pas employer des synonymes d'une manière purement mécanique.

En remplaçant les noms d'un poème par des synonymes, on peut se rendre compte de la difficulté du choix des mots pour un poète. En même temps, on peut mieux apprécier ceux dont il s'est servi pour exprimer d'une manière personnelle des idées que tout le monde partage. Nous allons vous demander de faire ce travail sur les deux premières strophes d'un poème de Charles Baudelaire (1821–1867). Le but de cette activité est de vous faire prendre une bonne habitude, celle de vous servir de votre dictionnaire chaque fois que vous écrirez quelque chose.

En cherchant un mot anglais dans votre dictionnaire bilingue, vous en trouverez normalement deux ou trois traductions françaises. Pour avoir un choix plus grand d'équivalents, servez-vous d'un dictionnaire monolingue français, ou encore mieux d'un dictionnaire des synonymes. Si vous n'avez pas de dictionnaire des synonymes, vous pouvez consulter un dictionnaire en ligne. Vous pourrez en trouver plusieurs en tapant « dictionnaire des synonymes » dans un moteur de recherche sur Internet.

Activité 1.1.2

Remplacez les noms en gras dans le poème ci-dessous par un synonyme.

Au lecteur

La **sottise**, l'**erreur**, le péché, la lésine,

Occupent nos **esprits** et travaillent nos **corps**,

Et nous alimentons nos aimables remords,

Comme les mendiants nourrissent leur vermine.

Nos péchés sont têtus, nos **repentirs** sont lâches ;

Nous nous faisons payer grassement nos aveux,

Et nous rentrons gaiement dans les **chemins** bourbeux,

Croyant par de vils pleurs laver toutes nos taches.

(Charles Baudelaire, *Les Fleurs du mal*, Paris, Garnier, 1961 [1857], p. 5)

Les **homonymes** sont des noms qui se prononcent ou qui s'écrivent de la même manière. On appelle **homophones** des mots qui se prononcent de la même manière, comme « un pot » et « une peau », ou « phare » et « fard ». On appelle **homographes** des mots qui s'écrivent de la même manière. On trouve ainsi « un moule » et « une moule », « un page » et « une page », « un vase » et de la « vase », et aussi des mots qui ne se prononcent pas de la même façon, comme : un « président » (nom prononcé [prezidɑ̃]) et ils « président » (verbe prononcé [prezid]). Isolés, ces homonymes peuvent prêter à confusion. Cependant, le contexte dans lequel ils se trouvent en précise souvent le sens.

Le plus souvent, lorsque vous employez « le » ou « la » avant un nom sans être sûr(e) de vous, le contexte permet à votre interlocuteur ou à votre interlocutrice de vous comprendre. Par exemple, si vous dites « le maison », on vous comprendra quand même. Toutefois, il y a des mots dont le genre est capital pour la compréhension. En voici quelques-uns sur lesquels vous allez travailler.

Activité 1.1.3

Faites une phrase pour illustrer chacun des mots suivants en montrant que vous en avez bien compris le sens :

- un tour, une tour

- un somme, une somme

- un poêle, une poêle (prononcer : [pwal], comme « poil »)

- un crêpe, une crêpe

- un mode, une mode

- un pendule, une pendule

Les **antonymes**, ou mots contraires, sont des vocables qui s'opposent l'un à l'autre par le sens, comme, par exemple : « enfant » et « adulte », « anxiété » et « sérénité ». L'antonyme peut se construire de différentes façons dont celle qui suit.

Vous avez déjà rencontré la notion de préfixe avec « re- » qui, employé avec certains verbes, signifie la répétition. Par exemple, « revenir » et « repartir » signifient venir à nouveau et partir à nouveau. En ajoutant un préfixe à un mot, on

peut parfois créer un autre mot de sens contraire. Par exemple, on a « terrorisme » et « contre-terrorisme », « entente » et « mésentente », « thèse » et « antithèse » ou encore « intérêt » et « désintérêt ». Nous reviendrons sur cette question des antonymes formés par des préfixes plus tard dans la prochaine section, consacrée aux adjectifs.

Activité 1.1.4

A

Faites une liste de cinq noms dénotant des concepts abstraits (p. ex. : le bien, l'amitié, la justice, la liberté, l'égalité) que vous employez très souvent à l'écrit ou lorsque vous parlez.

B

Consultez votre dictionnaire si nécessaire et trouvez un antonyme pour chacun de ces noms. Vous pouvez aussi utiliser les cinq noms donnés en exemple dans l'étape A.

En règle générale, le français préfère les noms abstraits aux formes verbales. Par exemple, plutôt que de dire :

> Il est parti **en espérant** trouver le repos à la campagne.

... on préférera souvent :

> Il est parti **dans l'espoir** de trouver le repos à la campagne.

La transformation d'un groupe verbal en un groupe nominal s'appelle la **nominalisation**. Cet aspect stylistique permet de produire des textes plus abstraits. Entraînez-vous à le reconnaître dans vos lectures.

> Si vous avez besoin de plus amples renseignements sur le nom et la sphère du nom, consultez votre livre de grammaire.

Section 1.2 L'adjectif

Au cours de cette section, vous allez vous concentrer plus particulièrement sur l'**adjectif qualificatif** et sur son rôle spécifique dans un texte.

Point clé

- Améliorer votre travail écrit en utilisant des adjectifs, des synonymes et des antonymes

On emploie l'adjectif qualificatif pour apporter des précisions sur le nom, pour définir ses qualités. En voici des exemples :

> La distinction entre la vie **professionnelle, familiale, personnelle** a été transformée.

(Gérard Mermet, *Francoscopie 2007*, pp. 288–9)

> La disponibilité **accrue** et **nouvelle** des 14 millions de Français concernés [...] ouvre également de **larges** perspectives à toutes les formes d'implications **extra-professionnelles** dans la vie **civique, associative, sportive** ou **culturelle**, qui se trouvent de fait **valorisées** et de plus en plus **porteuses** d'identité.

(« Questions–réponses sur la réduction du temps de travail », *Temps Réels*, 3 décembre 2002)

> Alter Eco, société de produits **alimentaires** et **cosmétiques issus** du commerce **équitable**.

(Katell Pouliquen, « Vous êtes peut-être un créatif culturel... », *L'Express.fr*, 30 avril 2007)

De plus en plus de citadins sont décidés à délaisser les embouteillages et les logements **étroits** pour le **grand** air et les **vastes** étendues de verdure.

(Angélique Négroni, « L'exode des citadins à la campagne s'amplifie », *Lefigaro.fr*, 12 mai 2007)

En français, la grande majorité des adjectifs qualificatifs suit le nom dans la phrase. Certains adjectifs qualificatifs ont la caractéristique de changer de sens selon leur position par rapport au nom auquel ils se rapportent. Par exemple, un « homme grand » (*tall man*) ne signifie pas la même chose qu'un « grand homme » (*great man*). Les adjectifs « pauvre » et « ancien » en sont d'autres exemples. En général, quand un adjectif peut se placer soit avant soit après le nom, il a un sens propre quand il est après le nom et un sens figuré quand il est avant.

Activité 1.2.1

Vous allez lire un passage qui décrit une propriété à la campagne par une nuit de pleine lune. Sans oublier de faire attention à leur accord, mettez les adjectifs qui manquent dans le passage en choisissant dans l'encadré suivant ceux qui, à votre avis, conviennent le mieux.

> claire • inculte • jeune • plein • jaune • petit • nocturne • large • bordé • légère

La nuit était si (1) _____ qu'on y voyait comme en (2) _____ jour ; et la (3) _____ fille reconnaissait tout ce pays aimé jadis dans sa première enfance.

C'était d'abord, en face d'elle, un (4) _____ gazon (5) _____ comme du beurre sous la lumière

(6) _____. Deux arbres géants se dressaient aux pointes devant le château, un platane au nord, un tilleul au sud. Tout au bout de la grande étendue d'herbe, un (7) _____ bois en bosquet terminait ce domaine garanti des ouragans du large par cinq rangs d'ormes antiques, tordus, rasés, rongés, taillés en pente comme un toit par le vent de mer toujours déchaîné.

Cette espèce de parc était (8) _____ à droite et à gauche par deux longues avenues de peupliers démesurés, appelés peuples en Normandie. [...]

Ces peuples avaient donné leur nom au château. Au delà de cet enclos, s'étendait une vaste plaine (9) _____, semée d'ajoncs, où la brise sifflait et galopait jour et nuit. Puis soudain la côte s'abattait en une falaise de cent mètres, droite et blanche baignant son pied dans les vagues. [...]

Un jasmin grimpé autour des fenêtres d'en bas exhalait continuellement son haleine pénétrante qui se mêlait à l'odeur plus (10) _____ des feuilles naissantes. De lentes rafales passaient, apportant les saveurs fortes de l'air salin et de la sueur visqueuse des varechs.

(Guy de Maupassant, *Une vie*, Paris, Albin Michel, 1930 [1883], pp. 19–20)

_____

Tout comme le nom, l'adjectif qualificatif, en tant que mot, a des synonymes et des antonymes. Lorsque vous écrivez un texte, la recherche de synonymes vous permettra d'enrichir votre vocabulaire actif.

Activité 1.2.2 _____

A

Faites une liste de dix adjectifs que vous connaissez bien.

B

Trouvez un ou plusieurs synonymes possibles à ces adjectifs.

_____

L'adjectif peut aussi avoir des antonymes, par exemple : « grand ≠ petit », « mauvais ≠ bon », « beau ≠ laid ». Comme nous l'avons mentionné au cours de la section précédente consacrée au nom, on peut utiliser certains préfixes pour créer les antonymes de certains mots. C'est le cas de « im- » qui permet de produire les antonymes suivants : « possible ≠ impossible », « poli ≠ impoli » ou « propre ≠ impropre » ; de « in- », donnant, par exemple, « exact ≠ inexact » ; de « il- » qui permet de faire « logique ≠ illogique » ; finalement, de « ir- » qui nous donne « responsable ≠ irresponsable ». Il existe d'autres préfixes, comme « dés- » (désagréable), « dé- » (délacé) ou « dis- » (disproportionné).

[D] Votre dictionnaire vous permettra de chercher quel préfixe utiliser pour l'antonyme de tel ou tel adjectif.

Activité 1.2.3 _____

Maintenant, vous allez écrire un texte en faisant un effort particulier pour employer des adjectifs qualificatifs. À l'aide de l'extrait suivant, décrivez l'aspect physique et les vêtements d'un homme ou d'une femme que vous connaissez ou que vous avez vu(e) récemment.

M. de Thaler entrait...

Grand, mince, raide, il avait une tête toute petite, la figure plate, le nez pointu et de longs favoris roux nuancés de fils d'argent, qui lui tombaient jusqu'au milieu de la poitrine.

Vêtu à la dernière mode, il portait un de ces amples pardessus à longs poils qui bombent les épaules, un pantalon évasé du bas, un large col rabattu sur une cravate claire constellée d'un gros diamant et un chapeau à bords insolemment cambrés.

(Émile Gaboriau, *L'Argent des autres*, Paris, Nouvelles éditions Baudinière, 1979 [1874], pp. 18–19)

Activité 1.2.4

Dans le texte d'Émile Zola (1840–1902) ci-contre, le narrateur fait une description lyrique de la Provence. L'extrait a été choisi pour l'emploi des nombreux adjectifs qui permettent à l'écrivain d'exprimer des sentiments profonds face à ce paysage. En vous en inspirant, décrivez un paysage que vous aimez bien ; cela pourra être un paysage favori de vacances, une ville étrangère ou simplement un jardin. Employez le plus possible d'adjectifs qualificatifs à connotations positives.

À Ninon

[...] Pauvre terre desséchée, elle flamboie au soleil, grise et nue, entre les prairies grasses de la Durance et les bois d'orangers du littoral. Je l'aime pour sa beauté âpre, ses roches désolées, ses thyms et ses lavandes. Il y a dans cette vallée stérile je ne sais quel air brûlant de désolation : un étrange ouragan de passion semble avoir soufflé sur la contrée ; puis, un grand accablement s'est fait, et les campagnes, ardentes encore, se sont comme endormies dans un dernier désir. Aujourd'hui, au milieu de mes forêts du Nord, lorsque je revois en pensée ces poussières et ces cailloux, je me sens un amour profond pour cette patrie sévère qui n'est pas la mienne. Sans doute, l'enfant rieur et les vieilles roches chagrines s'étaient autrefois pris de tendresse ; et, maintenant, l'enfant devenu homme dédaigne les prés humides, les verdures noyées, amoureux des grandes routes blanches et des montagnes brûlées, où son âme, fraîche de ses quinze ans, a rêvé ses premiers songes.

(Émile Zola, « Contes à Ninon », *Contes et nouvelles*, Paris, Gallimard, 1976 [1864], pp. 5–6)

Section 1.3 Les pronoms relatifs

Dans cette section, nous allons nous concentrer sur les **pronoms relatifs** parce qu'ils jouent un rôle important dans l'articulation des idées d'un texte.

Points clés

- Améliorer des textes en utilisant des pronoms relatifs
- Réécrire un texte complexe en le rendant plus facile à comprendre

Le pronom relatif sert à relier plusieurs phrases en évitant de répéter un nom déjà mentionné. En voici des exemples :

> Les queues aux caisses, les plats **qui** ne viennent pas au restaurant, les bus **qui** lambinent nous mettent hors de nous.

(Anne Vidali, « La course contre le temps », *L'Express*, no.2642, 21–27 février 2002)

> La France entière est en vadrouille : c'est le 15 août, et seuls les touristes naïfs ignorent **ce que** cela signifie.

(Ariane Greiner, « Les grandes vacances... », ARTE, 10 août 2006, http://www.arte.tv/fr/recherche/1284004.html, dernier accès le 8 avril 2008)

> On retrouve ici l'évolution vers une société « en quête de sens » **dont** il a déjà été question. [...]

> Mais l'ancienne tendance, selon **laquelle** les vacances sont surtout faites pour s'amuser, existe toujours en parallèle.

(« Touristes en quête de sens », *ARTE*, 10 août 2006, http://www.arte.tv/fr/histoire-societe/vacances/1280618,CmC=1261416.html, dernier accès le 8 avril 2008)

> **Ce qui** compte, c'est la qualité de l'existence : ne pas perdre sa vie à la gagner.

(Katell Pouliquen, « Vous êtes peut-être un créatif culturel... », *L'Express.fr*, 30 avril 2007)

> Un constat **que** n'infirmeront pas les pèlerins de plus en plus nombreux **qui** arpentent les centaines de kilomètres **qui** mènent à Compostelle.

(Catherine Robin, « Marcher pour se (re) trouver », *L'Express.fr*, 28 mars 2007, http://www.lexpress.fr/voyage/destinations/dossier/rando/dossier.asp, dernier accès le 8 avril 2008)

> (A) Si nécessaire, vous pouvez consulter la page de grammaire sur les pronoms relatifs dans votre Guide de l'apprenant.

Activité 1.3.1 _____

Dans *À la recherche du temps perdu* de Marcel Proust (1871–1922), le narrateur essaie de retrouver son passé. Lorsque nous pensons à notre passé, nos souvenirs s'enchaînent et en génèrent d'autres. Proust a décrit ce processus mental en construisant de longues phrases articulées par de nombreux pronoms relatifs.

Vous allez maintenant analyser une phrase complexe de 135 mots. Lisez-la d'abord pour en comprendre le sens, et ensuite identifiez les pronoms relatifs.

> Enfin, en continuant à suivre du dedans au dehors les états simultanément juxtaposés dans ma conscience, et avant d'arriver jusqu'à l'horizon réel qui les enveloppait, je trouve des plaisirs d'un autre genre, celui d'être bien assis, de sentir la bonne odeur de l'air, de ne pas

être dérangé par une visite : et, quand une heure sonnait au clocher de Saint-Hilaire, de voir tomber morceau par morceau ce qui de l'après-midi était déjà consommé, jusqu'à ce que j'entendisse le dernier coup qui me permettait de faire le total et après lequel le long silence qui le suivait semblait faire commencer, dans le ciel bleu, toute la partie qui m'était encore concédée pour lire jusqu'au bon dîner qu'apprêtait Françoise et qui me réconforterait des fatigues prises, pendant la lecture du livre, à la suite de son héros.

(Marcel Proust, *Combray*, London, Harraps, 1971 [1913], p. 131)

Vocabulaire

Saint-Hilaire   nom d'une église

entendisse   subjonctif imparfait du verbe « entendre »

qu'apprêtait Françoise   que Françoise préparait

Activité 1.3.2 _____

Maintenant, vous allez mettre en pratique vos connaissances sur les pronoms relatifs en améliorant une histoire écrite par un écrivain débutant. Transformez ce texte en reliant, lorsque c'est possible, les phrases ou les idées entre elles par des pronoms relatifs.

> C'est l'histoire d'un fermier. Le fermier a des enfants. Les enfants veulent quitter la ferme. La ferme ne produit pas grand-chose. Le vieux fermier essaie de convaincre les enfants de rester. Les enfants veulent quitter la ferme. Il réunit sa famille un soir et dit à ses enfants : « Cultivez les terres pendant la bonne saison. La bonne saison va du printemps à la fin de l'été. Et, pendant la mauvaise saison, cherchez le trésor. Le trésor est enterré quelque part dans un champ. Malheureusement, je ne sais pas où est caché le trésor. Mon père a enterré le trésor dans un champ. » Chaque année, les enfants ont retourné la terre partout. Et chaque année, ils ont eu des récoltes magnifiques. Les récoltes les ont rendus très riches. Un jour, un fils a compris ce que leur avait dit le père. Le trésor, c'est le travail.

Activité 1.3.3 _____

Pour renforcer votre maîtrise de l'emploi du pronom relatif, écrivez une phrase humoristique, la plus longue possible, en employant des pronoms relatifs, sur le modèle de celles qui suivent :

> C'est l'homme qui a vu l'homme qui connaît la femme qui a identifié l'ours qui a mangé le saumon.

> Je vous présente l'ami dont la sœur qui est infirmière aime le malade qui a un virus que personne ne connaît et qui a causé bien des soucis au docteur dont le cousin qui rentre du Pérou où il ne fait pas chaud en ce moment a racheté ma vieille voiture.

Activité 1.3.4 _____

Maintenant, à vous d'exercer vos talents d'écrivain en composant un texte dans lequel, comme Marcel Proust, vous décrirez des souvenirs de jeunesse. Écrivez un texte de 200 mots maximum dans lequel vous décrirez un moment agréable de votre jeunesse. Dans ce texte, vous vous efforcerez d'employer :

* des pronoms relatifs ;
* des adjectifs qualificatifs ;
* l'imparfait et le passé composé.

Section 1.4 Paraphraser

Vous allez maintenant mettre en pratique ce que vous avez appris au cours des trois sections passées en pratiquant l'art de la **paraphrase**, c'est-à-dire de la reformulation.

Point clé

- Paraphraser un texte

Comme nous l'avons vu plus haut, on peut transformer un texte au moyen de synonymes ou d'antonymes. Au cours de cette section, vous allez enrichir votre vocabulaire en transformant des textes en vue d'améliorer votre façon d'aborder la rédaction.

Activité 1.4.1

Vous allez maintenant travailler sur un texte qui décrit une femme riche qui a tout abandonné pour suivre l'homme qu'elle aime. Reformulez le passage en remplaçant, lorsque c'est possible, chaque nom commun et chaque adjectif qualificatif par un synonyme.

> Je la contemplais, triste, surpris, émerveillé par la puissance de l'amour ! Cette fille riche avait suivi cet homme, ce paysan. Elle était devenue elle-même une paysanne. Elle s'était faite à sa vie sans charmes, sans luxe, sans délicatesse ; elle s'était pliée à ses habitudes simples. Et elle l'aimait encore. Elle était devenue une femme de rustre.
>
> (Guy de Maupassant, « Le bonheur », *Contes et nouvelles*, Paris, Gallimard, vol. 1, 1974 [1884], p. 1244)

Reformuler un texte ou en faire une paraphrase, c'est se préparer au travail du résumé de texte que vous allez aborder plus tard dans le cours. C'est aussi un exercice qui vous permettra de réduire les risques de plagiat lors de la rédaction d'examens écrits, de travailler vos acquis et de construire une réponse qui vous sera propre.

Activité 1.4.2

Réécrivez le passage suivant de manière à le rendre méconnaissable par son auteur, tout en conservant son sens. Autrement dit, écrivez une paraphrase du passage à l'aide de synonymes.

> Les **besoins primordiaux** étant désormais **assouvis**, l'économie américaine a créé de nouveaux **désirs**, provoquant l'**achat** de **produits superflus** dont le **prestige** compte plus que la **valeur réelle**. La publicité entretient alors l'**insatisfaction** des **individus** pour leur proposer ensuite la **consommation** comme **remède**. Ainsi empêche-t-elle la **révolte** en offrant des **changements dérisoires**. Dans le domaine moral, elle a adhéré au **bouleversement** des valeurs : la promotion du **plaisir** et de la **liberté** a remplacé la **valorisation** du travail. Mais c'est un **piège** car cette liberté n'est que celle de consommer. La publicité devient alors une nouvelle **aliénation**.
>
> (Michel Cahour, *Résumés et commentaires*, Paris, Bordas, 1987, pp. 77–8)

Section 1.5   Le temps des verbes

Au cours de cette section, vous allez explorer le concept du **temps du verbe** et découvrir comment, en changeant le temps des verbes employés, un auteur peut changer la perspective de son texte pour créer un effet désiré. Nous allons nous concentrer en particulier sur le présent, le passé et le futur de l'indicatif.

Le verbe est l'élément essentiel de la phrase. Les verbes reçoivent des marques de conjugaison que l'on appelle « terminaisons » (ou « désinences ») qui s'ajoutent à la fin du verbe et qui nous indiquent le temps du verbe (p. ex. : présent, imparfait, etc.).

Point clé

- Modifier la perspective des textes en changeant le temps des verbes

G A Si vous avez besoin de réviser les temps verbaux, consultez votre livre de grammaire et/ou les pages de grammaire du Guide de l'apprenant avant de continuer.

Activité 1.5.1

A

Voici cinq extraits de textes qui démontrent l'emploi de temps verbaux différents. Dans chaque extrait un des temps verbaux est majoritaire et donne la perspective du temps où est situé le texte. Identifiez d'abord ces temps verbaux.

1

2001 Mars Odyssey aura donc fort à faire pour éclipser ces échecs. Si tout se passe comme prévu, le satellite devrait s'envoler du centre spatial Kennedy de Cape Canaveral (Floride) à 19h 02 (heure de Paris). Trente et une minutes plus tard, Odyssey se séparera du dernier étage de la fusée Delta pour entamer son voyage solitaire vers Mars. Elle devra ensuite déployer ses panneaux solaires et orienter ses transmetteurs vers l'antenne géante qui, depuis Canberra, en Australie, permettra de suivre la première phase de son évolution. Le voyage interplanétaire, long de 460 millions de kilomètres, doit lui permettre de rejoindre la planète rouge le 24 octobre. Au cours de ce périple, elle allumera son moteur à cinq reprises afin de corriger sa trajectoire. Une fois mise en orbite, il lui faudra encore 76 jours et 273 passages dans la haute atmosphère martienne pour se « circulariser » à 400 kilomètres d'altitude. Elle fera alors le tour de Mars en moins de deux heures.

(« La NASA lance une nouvelle sonde pour traquer l'eau sur Mars », Le Monde, 6 avril 2001)

2

« Deux millions », intervient immédiatement une voix dans la salle. Petit silence… « Cinquante de plus », renchérit un autre candidat. De cent mille francs en cent mille francs, le prix monte jusqu'à 4 millions… Les choses commencent à devenir sérieuses. La bataille ne se joue plus qu'entre trois ou quatre candidats acheteurs. Les clercs du notaire prennent consciencieusement note de leur identité. Un léger brouhaha remue la salle. « Je reprends les enchères. »

(« La plus petite maison adjugée à Bruxelles 4,9 millions », Le Soir, 11 janvier 2001)

3

Aujourd'hui j'ai beaucoup travaillé au bureau. Le patron a été aimable. Il m'a demandé si je n'étais pas trop fatigué et il a voulu savoir aussi l'âge de maman. J'ai dit une soixantaine d'années, pour ne pas me tromper et je ne sais pas pourquoi il a eu l'air soulagé et de considérer que l'affaire était terminée.

(Albert Camus, *L'Étranger*, London, Methuen, 1958 [1942], p. 42)

4

La chaîne dominait l'atelier. Nous étions dans son commencement ; elle finissait très loin de là, après avoir fait le tour de l'immense atelier. De l'autre côté de l'allée étaient les machines sur lesquelles travaillaient beaucoup d'hommes. Daubat me désigna une silhouette, la tête recouverte d'un béret, un masque protégeant les yeux, vêtue d'un treillis, tenant d'une main enveloppée de chiffons une sorte de pistolet à peinture dont il envoyait un jet sur de petites pièces. C'était Lucien. De ma place, à demi cachée par les voitures qui passaient, je regardai attentivement les hommes qui travaillaient dans cette partie-là. Certains badigeonnaient, d'autres tapaient sur des pièces qu'ils accrochaient ensuite à un film. La pièce parvenait au suivant. C'était l'endroit le plus sale de l'atelier. Les hommes, vêtus de bleus tachés, avaient le visage barbouillé. Lucien ne me voyait pas.

(Claire Etcherelli, *Élise ou la vraie vie*, London, Methuen, 1985 [1967], p. 113)

5

Ils se retiraient dans leur chambre, j'entendais la voix de Marie-Louise chuchotante, celle de Lucien plus haute. Ils parlaient longuement.

Chaque après-midi, Henri arrivait vers une heure, s'asseyait simplement devant la porte, attendant que mon frère descendît : d'autres fois, il faisait les cent pas dans la cour où l'arbre, vert comme jamais, tendait ses branches en parapluie sur les pavés secs. Nos fenêtres restaient ouvertes nuit et jour et nos murs séchaient. Lucien soupirait parfois quand il était avec son ami :

« Un jour, ce sera la vraie vie, on fera tout ce qu'on veut faire. »

(Claire Etcherelli, *Élise ou la vraie vie*, London, Methuen, 1985 [1967], p. 75)

Vocabulaire

treillis   vêtements militaires

descendît   subjonctif imparfait du verbe « descendre »

B

Maintenant justifiez l'utilisation du temps verbal majoritaire dans chaque extrait.

Activité 1.5.2

A

Dans cette activité vous allez modifier le temps des verbes de deux de ces extraits afin de mieux apprécier les changements de perspectives que cela entraîne.

Relisez d'abord le texte 2 de l'activité précédente et remplacez tous les verbes au présent (historique) par leur équivalent au passé composé.

B

Réfléchissez sur l'effet de ce changement de temps sur le texte, puis vérifiez vos hypothèses dans le corrigé.

C

Transformez le texte 1 de l'activité précédente en remplaçant tous les verbes au futur et au présent par leurs équivalents au passé composé.

D

Pensez à l'effet que vous avez produit sur le texte et vérifiez vos hypothèses dans le corrigé.

Activité 1.5.3

A

Le texte suivant a été publié en 1846 par Honoré de Balzac, romancier français (1799–1850). Dans l'article il regrette l'influence du nombre croissant de boutiques dans les « grandes rues » de Paris sur les petits commerçants et les petits métiers de l'époque. Quel temps du verbe domine le premier paragraphe ? Et quel temps est majoritaire dans le dialogue qui le suit ? Commentez ce changement de temps.

« Ce qui disparaît de Paris »

Aujourd'hui, la boutique a tué toutes les industries « sub dio », depuis la sellette du décrotteur, jusqu'aux éventaires métamorphosées en longues planches roulant sur deux vieilles roues. La boutique a reçu dans ses flancs dispendieux, et la marchande de marée, et le revendeur, et le débitant d'issues, et les fruitiers, et les travailleurs en vieux, et les bouquinistes, et le monde entier des petits commerces. Le marroniste lui-même s'est logé chez le marchand de vin. À peine voit-on de loin en loin une écaillère qui reste sur sa chaise, les mains sous ses jupes, à côté de son tas de coquilles. L'épicier a supprimé le marchand d'encre, le marchand de mort aux rats, le marchand de briquets d'amadou, de pierre à fusil. Les limonadiers ont absorbé les vendeurs de boissons fraîches. [...]

Savez-vous quel est le prix de cette transformation ? [...]

Vous payez cinquante centimes les cerises, les groseilles, les petits fruits qui jadis valaient deux liards !

Vous payez deux francs les fraises qui valaient cinq sous, et trente sous le raisin qui se payait dix sous !

Vous payez quatre à cinq francs le poisson, le poulet, qui valaient trente sous !

Vous payez deux fois plus cher qu'autrefois le charbon, qui a triplé de prix. Votre cuisinière, dont le livret à la caisse d'épargne offre un total supérieur à celui des économies de votre femme, s'habille aussi bien que sa maîtresse quand elle a congé !

L'appartement qui se louait douze cents francs en 1800, se loue six mille francs aujourd'hui.

La vie qui jadis se frayait à mille écus, n'est pas aujourd'hui si abondante à dix-huit mille francs !

La pièce de cent sous est devenue beaucoup moins que ce qu'était jadis le petit écu !

Mais aussi vous avez les cochers de fiacre en livrée qui lisent, en vous attendant, un journal écrit, sans doute exprès pour eux. [...]

Enfin vous avez l'agrément de voir sur une enseigne de charcutier ; « Un tel, élaive de M. Véro », ce qui vous atteste le progrès des lumières !

(Honoré de Balzac, « Ce qui disparaît de Paris », *Œuvres complètes*, Paris, Conard, vol. xl, 1940 [1846], pp. 608–9)

Le limonadier

Vocabulaire

sub dio   en plein air

la sellette   petit siège en bois

le décrotteur   un cireur de chaussures

les éventaires   les plateaux que portent les marchands ambulants

le débitant d'issues   marchand de suif, de graisse animale

une écaillère   une vendeuse d'huîtres

élaive   élève ; le mot est délibérément mal orthographié

les lumières   courant de pensées du XVIIIe siècle représenté notamment par Voltaire, Rousseau et Diderot

Notes culturelles

écu   pièce de 5 francs/livres en argent

franc (à partir de 1801)   monnaie d'or équivalent à une livre, ou 20 sous

24 livres   un louis

une livre   20 sous

un sou   12 deniers

un denier   1/12 d'un sou

un liard   monnaie de cuivre équivalent à 3 deniers

B

Transformez la perspective de la deuxième partie du texte, de « Savez-vous quel est le prix de cette transformation ? » jusqu'à la fin du texte, en le modernisant pour le situer au XXIe siècle. Pour effectuer la transformation vous devrez :

- mettre tous les verbes qui sont au présent au temps futur ;

- changer les adverbes de temps si besoin est ;

- moderniser les produits, les services et autres détails s'il en est besoin, pour situer l'article en l'an 2030 ;

- changer les prix du XIXe siècle en prix contemporains (euros et centimes).

Votre nouvel article sera intitulé « Ce qui se passera à Bordeaux au cours du XXIe siècle » et vous commencerez avec la phrase suivante :

> Il est probable qu'à l'avenir les hypermarchés et les supermarchés tueront toutes les épiceries du coin et tous les magasins spécialisés au centre de nos villes.

Activité 1.5.4 _____

Pour terminer votre travail sur l'unité 1 de ce Cours d'écriture, vous allez composer un court texte d'une centaine de mots environ pour donner votre commentaire personnel sur le dicton suivant : « Bien dans sa peau, bien dans sa tête ». Utilisez les techniques présentées au cours de l'unité 1 pour enrichir votre texte.

Dans cette unité vous allez prendre connaissance du rôle des adverbes et de l'importance du choix entre la voix active et la voix passive du verbe, ce qui vous aidera à développer un style personnel. Parmi les textes que vous étudierez, vous rencontrerez des exemples d'articles journalistiques et un extrait du *Guide touristique Baedeker* du début du XXᵉ siècle. Une fois que vous avez complété l'unité vous serez capable de :

- comprendre la fonction des adverbes dans un texte ;

- améliorer un texte par l'emploi des adverbes et en changeant les temps des verbes ;

- utiliser la voix active et la voix passive ;

- construire les phrases à partir de leurs éléments de base (« nom + verbe + ... ») ;

- améliorer un texte en utilisant des connecteurs ;

- simplifier un texte.

Unité 2

Section 2.1 L'adverbe

Au cours de cette section, nous allons aborder l'étude des **adverbes** et explorer la diversité de rôles et de fonctions qu'assument ces mots et ces locutions.

Points clés

- Enrichir le style d'un texte en utilisant des adverbes et des locutions adverbiales
- Contextualiser un récit ou un rapport en indiquant le temps, la manière et le lieu d'une action par le moyen des adverbes

Les adverbes tombent dans plusieurs catégories sémantiques, dont les plus communes sont : les adverbes de **temps** (p. ex. : aujourd'hui, maintenant, quand ?), de **lieu** (p. ex. : là-bas, où ?), de **manière** (p. ex. : lentement, volontiers), de **quantité** ou d'**intensité** (p. ex. : beaucoup, assez, très, tant).

> Ⓖ Si vous voulez de plus amples renseignements sur les catégories d'adverbes, consultez votre livre de grammaire avant de continuer.

Grammaticalement, l'adverbe est un mot invariable qui permet de changer ou de modifier (en ajoutant une précision) :

- le sens d'un verbe :

  Elle a couru **vite**. (adverbe de manière)

  Il travaille **ici**. (adverbe de lieu)

  Nous viendrons **demain**. (adverbe de temps)

  Il dessine d'**une façon intéressante**. (locution adverbiale de manière)

- le sens d'un adjectif :

  Le fauteuil était **très** grand.

  Il est **fort** courageux. (adverbes d'intensité)

- le sens d'un autre adverbe :

  … travailler **vraiment vite**.

  … parler **très lentement**.

  Elle a fait **beaucoup trop** de travail. (adverbes d'intensité)

Remarquez aussi que la position de l'adverbe dans la phrase permet de changer le sens de la phrase :

  Cette affaire s'est terminée **heureusement**.

  Heureusement, cette affaire s'est terminée.

Activité 2.1.1

A

Lisez attentivement l'extrait du texte « Excursions à pied » (voir l'activité 2.1.4 pour le texte intégral) et identifiez les adverbes qui modifient le sens de verbes et d'autres adverbes.

> Si l'on doit prendre des bagages, il faut un sac qui puisse se porter facilement sur le dos et, si léger qu'il soit, on ne saurait guère s'en charger, car la marche est déjà assez fatigante à elle seule. On a donc alors besoin d'un porteur, si l'on n'a pas un guide qui prenne le sac, ce qui renchérit notablement les excursions. Souvent il faut aussi des provisions de bouche et divers objets spéciaux, mais on doit se charger et s'embarrasser le moins possible.

B

Réécrivez le texte en supprimant tous les adverbes que vous avez identifiés. Que constatez-vous ?

C

Remplacez les adverbes supprimés par d'autres adverbes de votre choix qui ont à peu près le même sens. Utilisez votre dictionnaire ou un dictionnaire de synonymes pour vous aider, si besoin est.

Activité 2.1.2 _____

Dans cette activité, vous allez pouvoir mesurer l'effet produit sur un texte lorsqu'on supprime les adverbes et les locutions adverbiales dont la moitié sont des adverbes de temps. Lisez la version 1 du texte suivant, d'où on a enlevé la plupart des adverbes et des locutions adverbiales, et puis complétez la version 2 à l'aide des expressions dans l'encadré. Utilisez chaque expression une fois seulement.

> maintenant • tous les mercredis après-midi • bientôt • environ • avant • toujours • beaucoup • environ • régulièrement • aussi • aussi

Ma vie depuis la réduction du temps de travail

Version 1

Avant la loi sur la réduction du temps de travail, c'était la course, je n'avais le temps de ne rien faire. Depuis le changement, j'ai plus de loisirs et plus de flexibilité dans l'organisation de mon travail. J'étais moins en forme. Mais je me suis inscrite dans un club de voile il y a cinq ans, et cela fait cinq ans que je me suis remise à aller au ciné. Depuis que je travaille moins d'heures par semaine, je peux m'occuper des enfants de ma sœur. Il y a deux ans que je les garde. Ils sont ravis !

Version 2

Avant la loi sur la réduction du temps de travail, c'était _____ la course, je n'avais le temps de ne rien faire. Depuis le changement, j'ai plus de loisirs et plus de flexibilité dans l'organisation de mon travail. _____, j'étais _____ moins en forme. Mais je me suis inscrite dans un club de voile il y a _____ cinq ans, et cela fait _____ _____ cinq ans que je me suis remise à aller au ciné _____. Depuis que je travaille moins d'heures par semaine, je peux _____ m'occuper des enfants de ma sœur. Il y a _____ _____ deux ans que je les garde _____. Ils sont ravis !

Activité 2.1.3 _____

Lisez attentivement le passage qui suit. Dans les endroits indiqués, les adverbes ont été supprimés. Essayez, d'après le sens du texte, de retrouver les adverbes et les locutions adverbiales qui ont été supprimés. Nous avons laissé, et mis en gras, quelques-uns des adverbes pour vous aider.

Quatre spéléologues bloqués dans le trou du Regaï

Les quatre spéléologues qui ont (1) _____ disparu **dimanche soir** dans le trou du Regaï **tout** près de Toulon n'ont (2) _____ pas donné signe de vie **hier après-midi**. Une vingtaine de spéléologues, de plongeurs et de pompiers sont (3) _____ sur place, mais **temporairement** ils ne peuvent pas intervenir, le site étant (4) _____ inondé. La grotte utilisée (5) _____ pour des sorties d'initiation est présentée par les spécialistes comme **facilement** accessible. **Néanmoins** cette grotte n'est accessible (6) _____ que par beau temps. **Hier après-midi** les plongeurs hésitaient (7) _____ à descendre dans le trou, duquel l'eau jaillissait (8) _____ à grands flots. Cependant ils espèrent (9) _____ pouvoir retrouver les jeunes gens, qui semblent s'être lancés dans l'aventure sans prendre (10) _____ de précautions.

(« Quatre spéléologues bloqués dans le trou du Regaï », *InfoMatin*, Sodepresse)

Pour terminer le travail effectué au cours de cette section, vous allez travailler sur « Excursions à pied », un article écrit pour le *Guide touristique Baedeker* de 1901. Cet article fournit des conseils aux randonneurs à pied qui restent souvent valables malgré le changement d'époque. Ce document est fort utile par la richesse du vocabulaire qu'il permet d'acquérir et le cadre géographique décrit. Document historique, il contient un certain nombre de mots que l'on n'emploie plus de nos jours.

Activité 2.1.4 _____

A

Lisez d'abord le texte et faites correspondre les équipements de 1901 (1 à 5, page 27) à leur équivalent contemporain.

Excursions à pied

La partie de la France dont traite ce volume présente des endroits très intéressants qu'on ne peut visiter qu'à pied. Les vrais touristes préfèrent même encore souvent aller à pied dans les montagnes, lorsqu'ils pourraient faire autrement.

Un certain entraînement est toutefois utile aux personnes qui sont peu habituées à la marche, afin qu'elle ne leur soit pas trop pénible. On doit aussi pour cela éviter le plus possible dans la nourriture ce qui peut favoriser la production de la graisse : aliments gras et aliments dits d'épargne, farineux, sucre et boissons aqueuses, mais la machine humaine a néanmoins besoin, comme les autres, d'être bien alimentée. On doit également, pour s'entraîner, se priver d'alcool et de tabac.

Le costume, en laine, sera plutôt léger, mais, surtout si l'on est sujet à transpirer beaucoup, on aura de quoi se couvrir à l'arrivée, particulièrement sur une hauteur, si l'on doit y stationner. Au besoin, ôter durant la marche un vêtement qu'on remettra en arrivant. Il sera encore bon alors de boire aussi peu que possible et plutôt chaud que froid, en tout cas à petites gorgées.

C'est surtout pour les excursions dans les montagnes qu'il importe d'avoir de bonnes chaussures, des brodequins ou mieux des souliers larges, à fortes semelles et déjà faits aux pieds, qui doivent être garnis de gros clous avant les grandes ascensions et pour aller sur les glaciers. Avec des souliers, il faut de plus de fortes guêtres en drap. Les pieds tendres s'habituent plus facilement qu'on ne le croit d'abord à ces sortes de chaussures. On doit aussi alors porter des chaussettes de laine, avec lesquelles on a rarement des ampoules et qui sont du reste souvent nécessaires à cause du froid dans les hautes montagnes. Quand on a des ampoules, on les perce en y passant un fil de soie qu'on y laisse. Les pieds s'endurcissent quand on les frotte matin et soir avec de l'eau-de-vie et du suif. On fait bien aussi, après une marche forcée, de prendre un bain de pied avec du son. Un bain chaud fatigue pour le lendemain. Avant d'entreprendre de grandes courses, on frottera l'intérieur de ses bas, jusqu'aux chevilles, avec du savon ou du suif.

Si l'on doit prendre des bagages, il faut un sac qui puisse se porter facilement sur le dos et, si léger qu'il soit, on ne saurait guère s'en charger, car la marche est déjà assez fatigante à elle seule. On a donc alors besoin d'un porteur, si l'on n'a pas un guide qui prenne le sac, ce qui renchérit notablement les excursions. Souvent il faut aussi des provisions de bouche et divers objets spéciaux, mais on doit se charger et s'embarrasser le moins possible. On trouve des bâtons ferrés, à raison de 1 fr. et davantage, aux endroits où l'on en a besoin. Comme on ne doit jamais boire pure l'eau des torrents ni des glaciers, il faut un bidon rempli de vin, de rhum, de café ou de thé froid, et un gobelet en cuir. Un bon couteau à tire-bouchon est encore souvent nécessaire. On aura ensuite, suivant les besoins : une carte spéciale, une corde, une longue-vue ou une jumelle, une petite boussole, un petit thermomètre, un baromètre anéroïde, une petite fiole d'ammoniaque (pour les piqûres d'insectes) ou mieux une pharmacie de poche, etc.

(Baedeker, *Sud-est de la France*, Leipzig et Paris, Karl Baedeker Verlag, 1901)

Vocabulaire

1 fr. (m.) un franc (unité monétaire unique de la France entre 1795 et 1998)

1   des souliers à fortes semelles

2   une petite boussole

3   un bidon

4   le suif

5   une petite fiole d'ammoniaque

(a) un GPS de rando

(b) la vaseline

(c) des chaussures de marche

(d) une crème apaisante

(e) une bouteille thermos

B

Maintenant rédigez un article humoristique dans lequel vous donnerez des conseils à des randonneurs du XXIe siècle. Cette fois, cependant, la randonnée sera du type « Randonnées pour les pantouflards » (c'est-à-dire pour les gens qui préfèrent l'inactivité à l'exercice), où on passe la nuit à l'hôtel et où les bagages sont transportés d'hôtel en hôtel chaque jour par les organisateurs.

Pour faire l'activité :

- faites un pastiche humoristique de la version originale de Baedeker en 300 mots ;

- utilisez autant d'adverbes que possible ;

- modernisez les conseils, les vêtements et l'équipement.

Voici une phrase possible pour commencer votre pastiche :

> Deux ou trois semaines avant de partir en vacances, laissez votre voiture chérie à 100 mètres du bureau, bien à l'écart, et arrivez chaque jour en short et T-shirt, le sac au dos. ...

Section 2.2 Voix active et passive

Dans cette section, nous allons examiner de près la **voix passive** du verbe et la comparer avec la **voix active**.

Points clés

- Choisir entre la voix active et la voix passive du verbe
- Modifier la perspective d'un texte en choisissant entre voix active ou passive

La voix passive et la voix active du verbe sont deux constructions grammaticales qui offrent deux façons différentes d'exprimer les mêmes idées. L'emploi de la voix passive nous permet de changer à la fois le ton et l'optique d'une phrase : la voix active met l'accent sur le **sujet**, alors que la voix passive place l'emphase sur l'**objet** de l'action. Par exemple :

> Les spécialistes présentent la grotte comme facilement accessible. (voix active)

> La grotte est présentée par les spécialistes comme facilement accessible. (voix passive)

La construction de la voix passive a plusieurs caractéristiques :

- Le verbe est toujours conjugué avec le verbe auxiliaire « être » + le participe passé, et donc le participe passé s'accorde toujours avec le sujet de la phrase.

- Seuls les **verbes transitifs** qui peuvent être suivis par des objets directs peuvent être mis au passif.

- Les **verbes intransitifs**, qui n'ont pas de compléments (objets) directs (p. ex. : rire, parler, dormir, etc.), et les verbes qui n'ont que des compléments (objets) indirects (p. ex. : penser à, demander à, téléphoner à, etc.) ne peuvent pas se mettre au passif.

Si vous voulez réviser davantage vos connaissances sur la voix passive et la formation des temps du passif, consultez votre livre de grammaire avant de continuer.

Les quatre activités qui suivent vont vous donner l'occasion de réviser ce que vous savez sur la voix passive.

Activité 2.2.1 _____

Pour voir comment changer la perspective d'un texte, vous allez transformer les phrases suivantes, qui sont à la forme active, en phrases à la forme passive. N'oubliez pas de faire aussi les autres modifications nécessaires.

Exemple

La concierge type des romans de Simenon notait tous les détails de la vie privée des habitants de l'immeuble. (voix active)

→ Tous les détails de la vie privée des habitants de l'immeuble **étaient notés par** la concierge. (voix passive)

1 Yves Gonnard a commencé le projet.

2 Les concierges ont souvent aidé l'inspecteur Maigret.

3 Les propriétaires installeront bientôt un système électronique de surveillance dans l'immeuble.

4 La boutique a tué toutes les industries « sub dio ».

5 Le patron du restaurant offre plusieurs plats du jour à ses clients.

En employant la voix passive, il est possible aussi de ne pas préciser qui fait l'action, donc de rendre l'action « impersonnelle ». Par exemple :

> Noyon, ville médiévale, a été entièrement rebâtie.

> Les façades ont été reconstruites pour effacer les traces de la guerre.

Activité 2.2.2

Créez des phrases où l'action est « impersonnelle » en employant le vocabulaire suivant et en mettant les verbes à la voix passive aux temps indiqués.

Exemple

La tour Eiffel – repeindre – tous les cinq ans. (au présent)

→ La tour Eiffel **est repeinte** tous les cinq ans.

1 La construction de la bibliothèque – terminer – en l'an 2020. (au futur)

2 Le nouveau maire de Paris – élire – au mois de mars. (au passé composé)

3 La Pyramide – installer – malgré des protestations de certains dans la Grande Cour du Louvre. (au passé composé)

4 L'Opéra de la Bastille – construire – au cours du premier septennat de François Mitterrand. (au passé composé)

5 Les pièces de théâtre de Molière – jouer – plusieurs fois par an au XVIIe siècle. (à l'imparfait)

Assez fréquemment en français on préfère d'autres tournures que la voix passive quand la phrase ne comporte pas d'objet. On peut employer un verbe à la voix active avec, pour sujet, le pronom « on » pour créer le même effet :

> Au début on a installé des caméras pour surveiller la circulation.

> On a mis des caméras dans les centres commerciaux.

Activité 2.2.3

Faites des phrases à la voix active, avec pour sujet le pronom « on », en employant le vocabulaire suivant et le temps indiqué.

Exemple

Des caméras – réclamer – devant les collèges et les lycées. (au passé composé)

→ **On a réclamé** des caméras devant les collèges et les lycées.

1 Ce style d'architecture – appeler – « façadisme ». (au passé composé)

2 Une urbanisation à l'américaine – créer – régulièrement. (à l'imparfait)

3 Maintenant – pratiquer – l'opposé de ce qui s'est passé autrefois. (au présent)

4 Des caméras – exiger – sur les stades. (au futur)

Alternativement on pourrait aussi employer un **verbe pronominal** (réflexif) :

> Jeanne Moreau s'est soumise aux élections de l'Académie des beaux-arts.

> Son père s'est opposé jusqu'au bout à sa vocation.

Activité 2.2.4 _____

Faites des phrases à la voix active, en employant le vocabulaire suivant et en mettant le verbe à la forme pronominale et au temps indiqué.

Exemple

Le sac – porter – facilement sur le dos. (au présent)

→ Le sac **se porte** facilement sur le dos.

1   Les robots pour faire des tâches ménagères – acheter – très cher. (au futur)

2   Cela – dire – souvent dans le temps. (à l'imparfait)

3   Le théâtre – vider – rapidement à l'entr'acte. (au passé composé)

4   Les téléphones mobiles – vendre – comme des petits pains. (au présent)

Section 2.3   Un style personnel

Dans cette section, nous allons réviser et mettre en pratique ce que vous avez appris au cours des sections précédentes, sur l'emploi des adverbes et des formes active et passive.

Points clés

- Enrichir le style d'un texte
- Écrire un texte dans un style personnel

Comme nous l'avons vu plus haut, on peut parfois enrichir un texte ou transformer sa perspective en utilisant des adverbes et en employant des constructions ou des « voix » différentes. Au cours de l'activité suivante, vous allez faire un travail plus soutenu en reformulant un texte à partir d'une version de base proposée.

Activité 2.3.1

A

Lisez le texte suivant et expliquez ce que veut dire le « façadisme ».

Les vieilles façades ont la peau dure

Pour ou contre le façadisme ? Cet article présente des arguments pour et contre certains styles architecturaux et l'impact du façadisme sur la protection de notre patrimoine.

Urbain Dufresne   Alors, Françoise Lambert, si j'ai bien compris, lorsqu'on reconstruit des quartiers entiers, on refait tout à neuf, à l'exception de la façade des anciennes maisons que l'on garde. On a appelé ce style d'architecture « façadisme ». D'où vient le terme ?

Françoise Lambert   C'est un nouveau mot inventé il y a une quinzaine d'années par un Canadien pour qualifier les opérations postmodernes qui se déployaient aux USA et au Canada comme en Europe : la conservation de façades anciennes d'immeubles refaits à neuf. Le résultat absurde de cette logique, c'est la façade en plastique qui imite la pierre de taille ancienne, oui, oui, comme on en voit aujourd'hui à Bruxelles.

Urbain Dufresne   Est-ce que le façadisme est un phénomène nouveau ?

Françoise Lambert   Non. Le façadisme a des antécédents très anciens. Toutefois, de nos jours, on pratique maintenant l'opposé de ce qui s'est passé autrefois. En effet, au XIXe siècle, les pouvoirs publics imposent la construction de façades neuves pour dissimuler les quartiers anciens. Lors du percement de la rue Montmartre, par exemple, le préfet de Paris oblige les propriétaires à élever des façades Louis-Philippe sur les restes de ces maisons du Moyen Âge. Jusqu'au XXe siècle il y a donc une conception administrative qui tient avant tout à la neutralité et à l'uniformité.

Urbain Dufresne   Mais comment ce façadisme ancien va-t-il faire un retour en arrière et effectuer un retour au passé ?

Françoise Lambert   C'est surtout à cause des destructions de la guerre de 14–18. Par exemple, Noyon, que l'on prend généralement pour une ville médiévale, a été entièrement rebâti : on a reconstruit les façades pour effacer les traces de la guerre. À Ypres, en Belgique, on a même voulu faire plus gothique qu'avant ! Mais, derrière ces façades ultra-gothiques, l'aménagement est complètement moderne, aéré, rationnel…

Urbain Dufresne   Alors, le façadisme est-ce que ce serait l'expression d'un rejet de l'architecture moderne ?

Françoise Lambert   Vous voyez, la génération qui a cru à l'architecture moderne, c'est celle de la Seconde Guerre : gaullistes et communistes, contre la droite traditionaliste. André Malraux, que l'on présente comme un défenseur du patrimoine, en fait, a lutté pour la création de nouveaux paysages urbains, comme la zone de tours, à Montparnasse. Mais la médiocrité de beaucoup de réalisations modernes a engendré une réaction violente, qui a amené plus tard le retour à des règlements plus stricts.

Urbain Dufresne Alors, finalement, le façadisme, c'est une façon de préserver le paysage urbain…

Françoise Lambert Eh bien, le problème est là. Dans la mesure où il est purement cosmétique, le façadisme apparaît comme une solution pauvre. Mais, d'un autre côté, si on ne défend pas du tout les façades anciennes, on laisse les forces du marché créer une urbanisation à l'américaine.

(D'après « Les vieilles façades ont la peau dure », *Libération*, 29 janvier 1999)

B

Résumez en à peu près 150 mots les propos de Françoise Lambert. Concentrez-vous sur l'essentiel de ce qu'elle dit et ne la mentionnez pas dans votre texte. Cela vous aidera à réduire le nombre de mots.

C

Reformulez votre texte en introduisant des verbes à la voix passive.

D

Maintenant relisez et révisez votre texte et enrichissez votre travail en y ajoutant des adverbes et des locutions adverbiales.

E

Pour enrichir et raffiner votre texte encore plus vous pouvez aussi changer quelques constructions verbales et chercher des synonymes aux noms, aux adjectifs, etc., en employant la technique de la paraphrase que vous avez apprise au cours de l'unité 1.

Section 2.4 Phrases simples et complexes

Dans cette section, nous nous concentrons sur la structuration de la phrase.

Points clés

- Différencier phrases simples et phrases complexes
- Écrire des phrases complexes en employant des conjonctions et des pronoms relatifs

Au cours de cette section, nous allons réviser ce que vous savez de la structure de la **phrase** et des éléments qui la constituent, y compris les **propositions principales** et les **propositions subordonnées**.

La phrase simple se compose de deux éléments de base – le sujet et le verbe – auxquels on peut ajouter un ou plusieurs compléments, comme par exemple un objet ou une locution adverbiale.

> Le ventriloque chante.
>
> Le ventriloque chante fort.
>
> Le ventriloque chante fort dans la rue.
>
> Le ventriloque chante fort dans la rue en buvant un verre de vin.

Également une phrase est considérée comme « simple » :

- quand il y a deux ou plusieurs propositions qui sont liées par des « mots charnières » appelées **conjonctions de coordination**, comme « mais, et, ou, car, donc, or » :

> Il était sur la scène et il a bien joué son rôle.

- ou quand les propositions sont simplement juxtaposées :

> Elle ne pouvait pas jouer ce soir-là, elle était malade.

Par contre, la phrase « complexe » se distingue par la présence de deux ou de plusieurs propositions qui sont liées par une **conjonction de subordination** (« que, quand, lorsque, bien que, alors que, pour que, parce que, comme, si », etc.) ou un **pronom relatif** (« qui, que, dont, où », etc.) :

> Les juges sont convaincus **que** l'inculpé est coupable.
>
> Mathilde n'est pas allée en vacances **parce qu**'elle n'a pas d'argent.
>
> Mon ami m'a demandé **si** je voulais l'accompagner au cinéma ce soir.
>
> La vedette de cinéma **que** j'ai vue hier gagne une fortune.

Souvenez-vous néanmoins que la complexité d'une phrase n'est pas toujours un avantage : souvent une phrase simple est plus percutante qu'une phrase complexe.

À partir d'une phrase simple qui ne comporte que « sujet + verbe + complément », il est possible de construire une phrase beaucoup plus détaillée et riche en vocabulaire. Par exemple, si on enrichit la phrase simple :

> Elle est entrée sur la scène.

... en substituant un nom au pronom, en cherchant des synonymes, en ajoutant un adverbe au verbe et en ajoutant un adjectif au nom, elle peut être transformée en une phrase toujours simple, selon notre définition, mais tout de même plus détaillée :

> La jeune comédienne a fait son entrée doucement sur la grande scène de théâtre.

Par contre, pour en faire une phrase complexe, il faut ajouter des propositions subordonnées, en employant des conjonctions ou des pronoms relatifs :

> La jeune comédienne, bien que plus connue comme vedette de cinéma, a bien réussi son entrée doucement sur la scène de théâtre où elle a rapidement conquis les spectateurs.

On peut bien continuer à rendre la phrase même plus complexe en ajoutant d'autres connecteurs, des propositions subordonnées et davantage de détails.

> La jeune comédienne qui jouait le rôle principal dans la pièce de Molière, bien que plus connue comme vedette de cinéma puisqu'elle y a déjà remporté beaucoup de succès, a fait une entrée remarquée sur la scène de théâtre à Paris où elle a rapidement conquis les spectateurs ravis de son talent.

L'activité qui suit est un exercice d'entraînement qui vous encourage à créer des phrases simples et des phrases complexes et où vous pourrez appliquer ce que vous avez appris dans les sections précédentes, concernant l'emploi d'adjectifs, d'adverbes et de pronoms relatifs, sans oublier les synonymes.

Activité 2.4.1

A

Prenez une feuille de papier et expérimentez vous-même avec la phrase « Elle est entrée sur la scène ». Commencez au milieu de la page pour pouvoir ajouter des propositions subordonnées à votre gré.

B

Voici d'autres suggestions de phrases que vous pouvez enrichir de la façon proposée ci-dessus. Adoptez la perspective indiquée entre parenthèses et pensez aux circonstances : où ? quand ? comment ? avec qui ? pourquoi ?

1   Elle n'a pas aimé la pièce de théâtre. (négative)

2   La star se tenait sans rien dire sur le plateau du film. (sympathie)

3   Mon ami est arrivé à l'improviste. (mauvaise surprise)

4   L'écrivain venait de publier son dernier polar. (critique)

5   L'auteur a expliqué comment il crée ses intrigues. (curiosité)

Activité 2.4.2

A

Maintenant vous allez renforcer votre appréciation de la différence qui existe entre les phrases dites « simples » et les phrases dites « complexes » en cherchant les continuations de phrase dans le texte d'une interview avec la comédienne et réalisatrice Jeanne Moreau. Ce texte a été choisi comme exemple d'une interview en discours direct. L'interview a eu lieu peu après l'élection de Moreau comme la première femme membre de l'Académie des beaux-arts en 2000.

Lisez d'abord l'interview et identifiez une phrase simple et une phrase complexe dans le texte.

Jeanne Moreau en habit vert – rencontre avec une immortelle

LE FIGARO. Vous rêviez d'immortalité ?

Jeanne MOREAU. Oh, ça, c'est une abstraction. C'est Roman Polanski qui m'a demandé si j'acceptais de me soumettre aux élections. Ma première réaction a d'abord été négative.

Pourquoi ?

Je traversais une période de création, je préparais la pièce […] et je n'avais pas envie de m'exposer. Puis je me suis dit que c'était absurde de refuser. Un signe d'orgueil. Je l'ai alors rappelé, acceptant ce cadeau. Quand on aime, comme moi, faire des cadeaux, il faut savoir les recevoir.

Votre père disait : « Les honneurs ça vaut mieux qu'un coup de pied au cul. » Vous le pensez également ?

(Rires.) Oui, plutôt que d'être fustigée, mieux vaut être cajolée ! En plus, cela m'a permis de faire un travail intérieur, de passer en revue ce qui est le moteur de mon existence. Savoir pourquoi on fait les choses, à quoi elles correspondent.

Vous n'aviez jamais eu l'occasion de vous pencher sur le passé ?

Non. Il y a bien sûr ces petits moments d'introspection, au quotidien, en fin de journée. Au catéchisme quand j'étais petite fille, c'est ce qu'on appelait l'examen de conscience. Mais je ne suis pas du genre à regarder en arrière. Comme j'ai dû écrire un discours, j'ai donné quelques éclaircissements sur la personne qu'ils viennent d'installer dans ce fauteuil. Les gens vous connaissent à travers une image. Et il y a une personne secrète.

Qu'est-ce qui est remonté à la surface ?

Des souvenirs d'enfance, ce besoin de solitude. Mes parents faisaient un métier public. Mon père était hôtelier-restaurateur à Vichy. Je n'ai jamais connu de maison familiale, de chambre à moi. Cela a peut-être joué.

Vichy, c'était le calme, l'ennui ?

Moi, l'ennui, je ne sais pas ce que c'est. J'ai vécu à Vichy de l'âge de trois ans et demi à l'âge de dix ans. Il y avait un climat très passionnel.

Votre mère, anglaise et danseuse, faisait partie de la troupe des Tiller Girls. Comment a-t-elle rencontré votre père ?

Elle l'a connu à Montmartre dans son restaurant de la Cloche d'Or. Elle a abandonné son métier – à regret – quand elle s'est mariée. Mon père s'est opposé jusqu'au bout à ma vocation. C'est un avantage. Cela vous force à l'excellence, à vérifier l'énergie que vous voulez dépenser pour réaliser votre rêve. Toute ma vie, j'ai voulu prouver à mon père que j'avais raison.

Qu'est-ce que cela représente pour vous d'être la première femme membre de l'Institut ?

C'est très important. Toute vie est une recherche d'harmonie. La présence des femmes était donc essentielle. Et puis, c'est réparer une injustice. La créativité féminine est complémentaire de la créativité masculine. J'ai été dirigée par une majorité d'hommes et on sent toujours chez eux une sorte d'inquiétude pour essayer de faire coïncider leur imaginaire avec ce que vous représentez. Avec Bunuel, Orson Welles, Louis Malle ou François Truffaut, c'était bien sûr différent. Quand je dirige les acteurs, je les conduis à un point où ils peuvent s'épanouir, sans avoir un désir de prise de pouvoir.

Vous ne vous êtes jamais identifiée à un rôle ?

Non, je suis comme le personnage. Mais le personnage ce n'est pas moi. Sinon je serais une mauvaise comédienne.

Par vos choix cinématographiques, n'avez-vous pas le sentiment d'avoir incarné une femme d'avant-garde ?

C'est vrai que je ne ressemblais pas à l'image classique de la femme vue habituellement à l'écran. Ce qui émanait de moi a attiré certains réalisateurs à une époque où le cinéma était en mutation. Il y avait un désir de la part de tous ces jeunes critiques, futurs jeunes cinéastes, de raconter d'une autre manière les histoires de la vie. Des gens comme Losey, rescapé de la liste noire hollywoodienne, ou Richardson, qui faisait partie des jeunes gens en colère anglais, m'ont également fait tourner parce que je représentais une femme différente.

Comment pourriez-vous la définir ?

Que ce soit dans *Les Amants* comme dans *La Mariée était en noir*, *La Notte*, *Mademoiselle*, *Jules et Jim*, *La Baie des anges*… elles sont toutes rebelles, marginales, solitaires, prêtes à aller jusqu'au bout. Au-delà des personnages, ce qu'il y avait de merveilleux dans la nouvelle vague c'était l'abolition de la hiérarchie – qui a vite repris ses droits. Par ailleurs, je n'ai jamais voulu donner une image de la femme qui ne soit pas noble.

Pourquoi ?

Parce que… parce que je connais tous les vertiges, je sais toutes les dépressions dans lesquelles on peut tomber et qui peuvent être liées à la peur de la solitude, de la beauté perdue…

Qu'est-ce qui vous a poussée à devenir metteur en scène ?

J'ai toujours été curieuse de voir tout ce qui se passait sur cette aire de jeu qu'est un plateau de cinéma ou de théâtre. Et je sentais que le temps était venu d'être autonome. J'avais ce besoin irrésistible, ce devoir de transmettre.

(« Jeanne Moreau en habit vert – rencontre avec une immortelle », *Le Figaro*, 10 janvier 2001)

Notes culturelles

une immortelle   référence aux « immortels », nom donné aux membres de l'Académie à cause de la devise figurant sur le sceau donné à l'Académie par Richelieu en 1635 : « À l'immortalité ». Ils portent un uniforme de drap noir bordé de soie verte et une épée.

l'Institut   l'Institut de France, qui embrasse cinq établissements, y compris l'Académie des beaux-arts. L'Académie des beaux-arts comprend 55 membres (peintres, sculpteurs, architectes, graveurs, compositeurs de musique, créateurs d'œuvres cinématographiques et audiovisuelles, membres libres).

B

Complétez les débuts de phrases suivants pour refléter les mots de Jeanne Moreau. Écrivez deux versions – en structure simple et en structure complexe.

Exemple

Toute vie est une recherche d'harmonie…

→ Toute vie est une recherche d'harmonie et la créativité féminine est complémentaire de la créativité masculine. (structure simple)

→ Toute vie est une recherche d'harmonie, ce qui implique que la présence féminine est donc essentielle. (structure complexe)

1   Mon père était hôtelier-restaurateur…

2   Ma mère a abandonné son métier…

3   Le temps était venu d'être autonome…

Activité 2.4.3 _____

A

Lisez le texte qui suit et identifiez les expressions qui marquent le développement de l'argument qui est exprimé dans ces quatre paragraphes.

Exemple

Si le doublage existe, **c'est parce que** les gens ont envie de voir des films étrangers au cinéma et des programmes étrangers à la télévision. [...]

Le doublage est un mal nécessaire

Si le doublage existe, c'est parce que les gens ont envie de voir des films étrangers au cinéma et des programmes étrangers à la télévision. Et ils ont bien raison. Nous vivons tous dans un monde multiculturel, et notre vie serait certainement appauvrie, si nous ne connaissions que la culture de notre propre pays.

Ceci dit, est-ce que le doublage est le meilleur moyen de faire connaître les films et les programmes étrangers à un public qui, forcément, ne parle pas toutes les langues ? On pourrait dire, par exemple, que quand le doublage est bien fait par de bons acteurs, on est à peine conscient du fait que le film est doublé. Malheureusement, ce n'est pas toujours le cas, et un mauvais doublage avec une mauvaise synchronisation des voix peut très facilement empêcher les spectateurs d'y prendre plaisir.

Quelle autre possibilité existe-t-il ? Bien entendu, il y a le sous-titrage, mais certains objectent, avec raison, que les sous-titres sont parfois difficiles à lire, surtout à la télévision, et que, en les lisant, on suit mal l'action qui se passe à l'écran.

Que faire, donc ? Évidemment, il n'y a pas de solution parfaite. Mais si l'on veut continuer à voir des films étrangers, il faut accepter soit le doublage soit le sous-titrage. Ce sont l'un et l'autre des maux qui sont nécessaires à notre plaisir et à notre instruction culturelle.

B

Expliquez le rôle de chacun des quatre paragraphes du texte dans le développement de l'argument.

Section 2.5 Style et perspective

Dans cette section, vous allez vous concentrer sur les aspects stylistiques des connecteurs qui vous fournissent un moyen d'enrichir et de rendre plus cohérent votre style.

Points clés

- Ajouter et enlever des conjonctions
- Modifier le style et/ou la perspective d'un texte

Les connecteurs sont un outil qui vous permet de bien marquer l'organisation de vos idées dans une phrase et dans un paragraphe. Vous allez voir comment les écrivains exploitent souvent les différences entre les structures pour créer une variété de styles et d'effets dramatiques en juxtaposant des phrases longues et courtes, et des phrases simples et complexes.

Activité 2.5.1

A

Dans cette activité, vous allez faire une analyse des effets que les connecteurs et les différences de longueur des phrases produisent sur le style d'un passage. Lisez l'article qui suit et qui a été sélectionné en vertu de la variété des styles qu'il contient.

Cherchez d'abord les phrases qui commencent par une conjonction de coordination (p. ex. : « mais, et, ou, car, donc, or » ; voir la section 2.4).

La peur du grand méchant loup

Bergers et chasseurs demandent au ministère de l'Environnement d'évacuer les loups du parc national du Mercantour.

§1 Officiellement, ils sont dix. Les premiers loups, repérés il y a trois ans dans le Mercantour, sont venus d'Italie, attirés en France par l'abondance du gibier : mouflons, chamois… et brebis. Plus de 80 000 ovins passent l'été dans la montagne. L'an dernier, plus d'une centaine (135 selon le parc national, 172 selon les éleveurs) ont été tués par les loups.

§2 En principe, le propriétaire est indemnisé. Mais c'est long et souvent difficile de prouver que le prédateur n'était pas un chien errant. Avec l'arrivée des premiers transhumants, l'inquiétude gagne l'arrière-pays niçois et la rumeur enfle. Les loups seraient au moins cinquante et auraient été introduits volontairement par les responsables du parc. Des affichettes fleurissent au bord des chemins : « Attention, loups. Promenade déconseillée. »

§3 Éleveur, Louis Ascensi est excédé. « Je n'arrive pas à trouver un berger. C'est dur de dormir près du troupeau, de se lever six fois par nuit et, le matin, de compter les bêtes égorgées. Il faut choisir les loups ou les bergers. »

§4 Mais, Geneviève Carbone, qui prépare une thèse sur cet animal, explique, « Les bergers ont oublié : ils ont l'impression qu'avant c'était idyllique, et qu'aujourd'hui, à cause de la présence du loup qui bouleverse leur manière de travailler, c'est l'enfer. Si l'on veut protéger le loup, il faut y mettre le prix. Lâcher des cervidés pour rassurer les chasseurs, indemniser sans discuter les propriétaires pour chacune des brebis tuées, et améliorer les conditions de travail des bergers, en construisant des cabanes et en améliorant l'adduction d'eau. »

§5 Et surtout, les aider à protéger les troupeaux. L'an passé, le parc a donné à l'un d'entre eux un couple de chiens pastou, seule race qui n'a pas peur d'attaquer les loups. Résultats : cinq bêtes tuées, contre une trentaine l'année précédente. Il faudrait équiper d'autres bergers. Mais former les chiens prend du temps. Pour cet été, c'est déjà trop tard.

(« La peur du grand méchant loup », *InfoMatin*, Sodepresse)

Vocabulaire

des cervidés (m.pl.)   famille de mammifères ruminants dont les mâles portent à la tête des excroissances osseuses appelées des « bois ». Les cervidés les plus connus sont les cerfs, les caribous et les daims.

chiens pastou (m.pl.)   chiens de protection de troupeaux de moutons, à poils longs et bouclés

B

Faites une analyse approfondie de la diversité stylistique de ce texte. Suivez les consignes ci-dessous :

1   Cherchez les phrases qui ne contiennent pas de verbe conjugué.

2   Comptez le nombre de phrases dans le paragraphe 2 et calculez la longueur moyenne de chaque phrase (le nombre de mots utilisés divisé par le nombre de phrases).

3   Comptez le nombre de phrases employées par les deux interviewés (Louis Ascensi et Geneviève Carbone) et calculez-en la longueur moyenne.

C

Reformulez les paragraphes 1, 2 et 5 de l'article. Ce sont les paragraphes qu'a rédigés le reporter lui-même dans l'article. Réduisez le nombre de phrases de ces paragraphes à un maximum de six, en introduisant des connecteurs pour augmenter la longueur moyenne des phrases. Vous allez voir ainsi combien ce processus change le style du texte et le rend moins journalistique – et peut-être aussi moins efficace.

Exemple

Officiellement les dix premiers loups, repérés il y a trois ans dans le Mercantour, sont venus d'Italie, attirés en France par l'abondance des mouflons, des chamois ... et surtout des brebis, **puisque** plus de 80 000 ovins passent l'été dans la montagne, **dont** l'an dernier, plus d'une centaine (135 selon le parc national, 172 selon les éleveurs) ont été tués par les loups.

Activité 2.5.2 _____

A

Voici un extrait du livre *Combray*, par Marcel Proust, qui fait partie de son œuvre *À la recherche du temps perdu*. Comme vous avez vu dans la section 1.3, Proust a la réputation d'écrire de très longues phrases, en fait le contraire du style « reportage ». C'est peut-être pour cette raison que le texte donne une impression de rêverie et de souvenirs perdus. Cette fois vous allez faire le contraire de ce que vous avez fait dans l'activité 2.5.1 – c'est-à-dire que vous allez augmenter le nombre de phrases de l'extrait de manière à rendre le texte plus facile à comprendre pour le lecteur.

D'abord lisez le texte et établissez le nombre de phrases dans cet extrait.

Et dès que j'eus reconnu le goût du morceau de madeleine trempé dans le tilleul que me donnait ma tante [...], aussitôt la vieille maison grise sur la rue, où était sa chambre, vint comme un décor de théâtre s'appliquer au petit pavillon donnant sur le jardin, qu'on avait construit pour mes parents sur ses derrières [...] ; et avec la maison, la ville, la Place où on m'envoyait avant déjeuner, les rues où j'allais faire des courses depuis le matin jusqu'au soir et par tous les temps, les chemins qu'on prenait si le temps était beau. Et comme dans ce jeu où les Japonais s'amusent à tremper dans un bol de porcelaine rempli d'eau de petits morceaux de papier jusque-là indistincts qui, à peine y sont-ils plongés s'étirent, se contournent, se colorent, se différencient, deviennent des fleurs, des maisons, des personnages consistants et reconnaissables, de même maintenant toutes les fleurs de notre jardin et celles du parc de M. Swann, et les nymphéas et la Vivonne, et les bonnes gens du village et leurs petits logis, et l'église et tout Combray et ses environs, tout cela qui prend forme et solidité, est sorti, ville et jardins, de ma tasse de thé.

(Marcel Proust, *Combray*, London, Harraps, 1971 [1913], p. 15)

B

Divisez le texte en phrases plus courtes, en supprimant les connecteurs comme les pronoms relatifs et les adverbes de temps.

Activité 2.5.3

Pour terminer cette section vous allez jouer le rôle d'un(e) journaliste sans scrupules qui veut faire croire à son patron que c'était lui/elle qui a interviewé une actrice célèbre.

Relisez l'interview avec Jeanne Moreau (voir l'activité 2.4.2) depuis le début jusqu'à la phrase « Toute ma vie, j'ai voulu prouver à mon père que j'avais raison », et changez-en la perspective et le style en transposant l'interview en discours indirect. N'oubliez pas d'y apporter d'autres éléments de style que vous avez étudiés jusqu'à ce point (p. ex. : la voix active/passive, etc.).

Dans cette unité, vous allez apprendre comment construire et transformer différents types de textes, y compris un conte. Vous apprendrez également comment écrire des textes subjectifs, suivant l'exemple de deux textes au sujet de la construction de la tour Eiffel à la fin du XIXᵉ siècle. Une fois que vous avez complété l'unité, vous serez capable de :

Unité 3

- composer un plan (introduction + développement + conclusion) ;

- écrire une introduction et une conclusion ;

- écrire un texte subjectif ;

- écrire une histoire courte en suivant des étapes spécifiques ;

- vérifier, reformuler et améliorer un texte écrit.

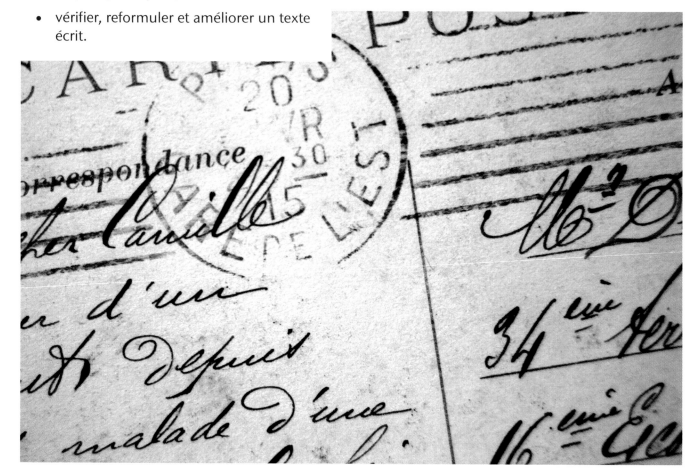

Section 3.1 Construire un plan

Dans l'unité précédente, vous avez examiné certains aspects stylistiques de l'écriture. Dans cette section, vous allez vous concentrer sur la cohésion et la structure d'un texte. Ce que vous allez voir vous sera utile pour construire vos propres rédactions, ainsi que vos présentations orales.

Points clés

- Composer un plan (introduction + développement + conclusion)
- Écrire une introduction et une conclusion
- Rassembler et organiser ses idées avant de rédiger

Un texte peut être organisé de plusieurs façons. Pour vous aider à mettre en ordre vos idées après que vous avez réfléchi au sujet d'une rédaction, vous pouvez par exemple utiliser l'un des types de plan suivants :

- des plans linéaires qui permettent la description d'un déroulement de faits logique du début à la fin ;
- des plans en deux parties qui permettent d'évaluer par exemple les causes et conséquences d'un problème donné ;
- des plans qui confrontent deux ou plusieurs points de vue afin de conduire à leur comparaison.

Toutefois, dans le contexte de ce cours, vous allez examiner en priorité comment faire des plans qui permettent de présenter un débat d'idées.

Le **plan de base** comporte normalement trois parties :

- une introduction ;
- un développement (par exemple, présentant différents points de vue « pour » ou « contre ») ;
- une conclusion.

L'**introduction** sert à présenter la discussion. Dans le contexte d'une rédaction, il y a une démarche à suivre qui se compose de plusieurs étapes de base. D'abord, on présente au lecteur :

- l'idée générale qui va être examinée, en définissant les termes du sujet, par exemple ;
- ensuite, le point de vue à débattre et les problèmes à résoudre ;
- enfin, on annonce le plan qui sera suivi pour répondre à la question posée.

Il importe aussi d'éveiller l'intérêt du lectorat (ou de l'auditoire, s'il s'agit d'un discours ou d'une présentation orale). Dans tous les cas, il faut essayer d'attirer l'attention du public ciblé, en soignant particulièrement la première phrase de l'introduction.

Activité 3.1.1 _____

Voici l'introduction d'un texte sur le doublage des films. Les phrases qui la constituent sont présentées ici dans le désordre. À vous de les réorganiser selon une suite logique d'idées et en tenant compte des éléments qui, en général, constituent une introduction (voir ci-dessus).

1   Si on y ajoute tous les feuilletons de langue anglaise qui passent à la télévision en France, on peut facilement comprendre l'ampleur du problème.

2 Une grande proportion des films qui passent au cinéma en France sont d'origine étrangère, et la plupart d'entre eux sont en anglais (plus de la moitié des films projetés en France sont américains).

3 Pour diverses raisons, bien des gens n'aiment pas les sous-titres, et il existe donc en France une véritable industrie du doublage qui produit des versions « françaises » de films étrangers, soit pour le petit écran soit pour le grand.

4 Afin de rendre de tels films accessibles au grand public il faut les sous-titrer ou bien les doubler.

À quoi sert la **conclusion** ? Comme pour l'introduction, on peut lui attribuer plusieurs fonctions. Vous n'allez pas forcément toujours avoir besoin de mentionner tous les éléments qui la composent. Tout dépend du public ciblé et des objectifs de l'auteur.

La conclusion se compose :

- d'une brève récapitulation des idées exposées dans la rédaction ;

- éventuellement, de jugements ou d'opinions personnelles sur ce bilan ;

- et, selon le cas, de suggestions de perspectives nouvelles, d'investigation ou de recherches, ou même de propositions d'actions futures à mener.

Activité 3.1.2 _____

Voici maintenant la conclusion d'un texte sur le cinéma européen, dont les phrases sont présentées dans le désordre. Remettez les phrases dans le bon ordre selon une suite logique d'idées, en vous référant à ce qui constitue généralement une conclusion.

1 Il est donc plus que jamais nécessaire que des liens et des partenariats se nouent entre professionnels européens pour défendre l'existence du cinéma européen, dans sa diversité.

2 Au total, force est de reconnaître une certaine ambiguïté de l'Union européenne à défendre la dimension artistique du cinéma européen.

3 Le but de ces partenariats ne serait pas tant en effet de créer un nouvel hybride, le « film européen », qui devrait à tout prix comporter des quotas de nationalités pour les comédiens et les techniciens, voire les producteurs et les distributeurs, mais bel et bien de permettre à chacun des pays européens de continuer à cultiver sa différence, en offrant à sa production cinématographique un public élargi ainsi qu'un système de financement adapté.

4 Le discours est plus souvent purement économique et structurel, ce qui n'est pas sans faire peser à terme de lourdes menaces sur les aides nationales au cinéma.

(Gaël Moullec, « L'Europe face au cinéma américain », *Fondation Robert Schuman*, 16 septembre 2002, http://www.robert-schuman. org/question_europe.php?num=sy-58, dernier accès le 12 novembre 2008)

Il arrive, surtout au cours d'études universitaires, que l'on vous demande de discuter d'un sujet auquel vous n'avez jamais vraiment réfléchi, ou peut-être seulement d'une façon assez superficielle. Il vous faut alors rassembler et évaluer des idées avant de prendre une position personnelle ou de tirer une conclusion sur le sujet proposé.

Durant vos recherches, vous allez sans doute rassembler toutes sortes d'informations et de points de vue, au hasard de vos lectures par exemple. Petit à petit, vous allez former votre propre opinion et commencer un travail de mise en ordre des idées rassemblées. Les arguments qui soutiennent votre point de vue auront plus de force s'ils sont placés au début ou à la fin de la partie « développement » de votre plan.

L'activité qui suit vous fournira une occasion de mettre à l'épreuve cette stratégie et de formuler un plan de rédaction. Vous ne serez peut-être plus surpris(e) de découvrir que souvent il vaut mieux écrire, ou du moins réviser, votre introduction en dernier lieu !

Activité 3.1.3 _____

Rédigez le plan d'une rédaction où vous allez discuter le pour et le contre de la production de films en France. Voici le sujet de la rédaction :

> Ni la France, ni d'autres pays, n'ont aucun besoin d'une industrie cinématographique, puisque Hollywood a suffisamment de moyens à lui seul pour satisfaire aux besoins des cinéastes de tous les pays du monde.

Procédez de la façon suivante :

1   Réfléchissez d'abord au sujet et notez pêle-mêle toutes les idées qui vous viennent à l'esprit.

2   Classez-les en deux groupes, pour et contre la proposition.

3   Faites le bilan de ces idées et décidez si vous êtes finalement pour ou contre la proposition, puis formulez votre jugement personnel (la conclusion).

4   Esquissez une introduction avec l'enchaînement logique de votre raisonnement et le plan que vous allez adopter.

5   Rédigez une introduction d'environ 60 mots.

Section 3.2 L'auto-évaluation

Dans cette section, vous allez apprendre comment vérifier la qualité stylistique et la cohésion de votre travail.

Points clés

- Vérifier la structure et la cohésion d'un texte que vous avez écrit

- Vérifier le style, le contenu et la grammaire d'un texte que vous avez écrit

Il y a plusieurs moyens de faire une auto-évaluation de la qualité stylistique de votre travail. Nous allons vous en recommander deux. D'abord une série de questions-critères que vous pouvez vous poser sur le fond et la forme de votre rédaction ; en deuxième lieu une liste de considérations linguistiques à prendre en compte pendant que vous êtes en train d'écrire.

La structure et la cohésion

1   Dans l'introduction :

(a) Avez-vous présenté le sujet à discuter clairement et d'une manière suffisamment définie ?

(b) Avez-vous indiqué votre plan et l'organisation de vos idées dans l'ordre que vous allez suivre ?

2   Au cours de votre rédaction :

(a) Avez-vous respecté votre plan ou l'avez-vous abandonné ou oublié ?

(b) Avez-vous indiqué clairement les différentes parties du plan en utilisant des mots comme « d'abord... ensuite... enfin » ?

(c) Vos illustrations ou vos exemples, sont-ils brefs et pertinents ?

3   Dans votre conclusion :

(a) Avez-vous construit une thèse qui tient compte des faits déjà mentionnés, sans ajouter de nouveaux arguments ? Avez-vous répondu à la question posée ?

(b) Avez-vous exposé votre point de vue ou jugement personnel ?

Le style et la langue

Avez-vous assez réfléchi au choix :

- des noms ?
- des pronoms ?
- des adjectifs ?
- des synonymes possibles ?
- du temps (ou de la forme) des verbes ?
- des adverbes ?
- des connecteurs ?
- de l'équilibre entre les phrases longues et courtes ?
- de l'équilibre entre les phrases simples et complexes ?

Si vous pouvez répondre « oui » à une majorité de ces questions vous avez sûrement écrit une bonne rédaction du point de vue du style et de l'organisation !

Au cours des deux activités suivantes, vous allez écrire des rédactions en appliquant les principes ci-dessus.

Activité 3.2.1 _____

A

Vous avez fait un plan et recherché des idées pour une rédaction dans l'activité 3.1.3. Écrivez maintenant cette rédaction en utilisant tous les conseils et techniques de style que vous avez étudiés jusqu'ici. Nous vous suggérons d'écrire entre 300 et 400 mots.

B

Une fois que votre rédaction sera terminée, nous vous recommandons de mettre de côté votre travail pendant au moins une journée avant de le relire pour faire votre auto-évaluation en remettant en question sa structure et sa cohésion, ainsi que le choix de vocabulaire que vous avez employé. Quand vous faites l'auto-évaluation, n'oubliez pas d'appliquer les deux séries de questions-critères sous les rubriques « La structure et la cohésion » et « Le style et la langue ».

Section 3.3 Écrire un texte subjectif

Après avoir travaillé sur des rédactions dans lesquelles vous avez présenté des idées de façon équilibrée, vous allez maintenant travailler sur des **textes subjectifs**.

Dans les activités qui suivent, vous allez vous concentrer sur les éléments de description qui peuvent rendre un texte plutôt subjectif ou plutôt objectif.

Points clés

- Identifier les éléments qui rendent un texte subjectif

- Écrire un texte subjectif

Activité 3.3.1

A

Lisez le texte suivant et expliquez les mots et expressions (1 à 8) au verso.

Les Picasso du marqueur

Gavroche de grande banlieue ou collégien des faubourgs, Parisien « branché » ou étudiant facétieux, il a entre douze et quinze ans, raffole de rap, rêve des États-Unis mais ne déteste pas Paris. Il est en quête d'identité et de sensations. Écrire son surnom ou celui de son groupe (THC, Vandales, En Puissance, 93 NTM…) sur le plan de métro, c'est choquer le bourgeois qui passe et entrer au Top 50 des Picasso du marqueur.

Chaque jour l'éventail s'élargit un peu plus encore, depuis les gamins de Mantes-la-jolie qui sévissent dans les cités de leur quartier jusqu'aux noctambules qui se risquent à pénétrer dans le métro en pleine nuit. Une aventure toujours risquée – le graffiti est un délit – mais excitante, que l'un d'eux résume en une délicieuse « montée d'adrénaline ».

Car ce drôle de jeu, pimenté par la peur du gendarme ou du témoin gênant, tient aussi de la sensation forte à tarif réduit. […] « C'est une performance, une sorte de mission impossible », assure André, lycéen de dix-neuf ans. « Dans ces moments-là, tu perds ta tête », […] assure l'un de ses amis, avant d'ajouter : « Le grand kif, ce serait de taguer un commissariat ! »

L'essentiel est donc de provoquer et de s'afficher en lettres stylisées (les lettres parisiennes sont réputées plus lisibles que les new-yorkaises), comme une manière d'exister, un moyen de marquer son territoire. Alain Vulbeau, chercheur de l'Institut de l'enfance et de la famille, dans une étude sur ce phénomène, le qualifie de « pétition illisible » ou « d'émeute silencieuse ». « C'est un retour à l'ère des tribus. Les hommes préhistoriques eux-aussi taguaient dans les cavernes. On revient aux sources. »

(« Les Picasso du marqueur », *Le Monde*, 9 novembre 1990)

Vocabulaire

marqueur (m.) gros feutre ; mais ici, peinture aérosol

le grand kif (arg.) le grand plaisir

1 Gavroche de grande banlieue

2 Parisien branché

3 raffole de rap

4 entrer au Top 50

5 une délicieuse montée d'adrénaline

6 la sensation forte à tarif réduit

7 pétition illisible

8 émeute silencieuse

B

Écrivez pour chacun des quatre paragraphes une phrase exprimant brièvement l'idée principale qui y est développée.

C

Décrivez en quelques mots le but du texte, et notez les éléments du texte qui nous renseignent sur le point de vue de son auteur.

Dans les activités suivantes, vous allez découvrir et commenter deux textes concernant la construction de la tour Eiffel.

Activité 3.3.2

A

Lisez l'extrait de la pétition suivante signée par de nombreuses personnalités à la fin du XIXᵉ siècle, et notez l'opinion des signataires sur la question exposée.

À Monsieur Alphand

Monsieur et cher compatriote,

Nous venons, écrivains, peintres, sculpteurs, architectes, amateurs passionnés de la beauté jusqu'ici intacte de Paris, protester de toutes nos forces, de toute notre indignation, au nom du goût français méconnu, au nom de l'art et de l'histoire français menacés, contre l'érection, en plein cœur de notre capitale, de l'inutile et monstrueuse tour Eiffel, que la malignité publique, souvent empreinte de bon sens et d'esprit de justice, a déjà baptisée du nom de « tour de Babel ».

Sans tomber dans l'exaltation du chauvinisme, nous avons le droit de proclamer bien haut que Paris est la ville sans rivale dans le monde. Au-dessus de ses rues, de ses boulevards élargis, le long de ses quais admirables, du milieu de ses magnifiques promenades, surgissent les plus nobles monuments que le génie humain ait enfantés. L'âme de la France, créatrice de chefs-d'œuvre, resplendit parmi cette floraison auguste de pierres. L'Italie, l'Allemagne, les Flandres, si fières à juste titre de leur héritage artistique, ne possèdent rien qui soit comparable au nôtre, et de tous les coins de l'univers Paris attire les curiosités et les admirations. Allons-nous donc laisser profaner tout cela ? [...]

C'est à vous qui aimez tant Paris, qui l'avez tant embelli, qui l'avez tant de fois protégé contre les dévastations administratives et le vandalisme des entreprises industrielles, qu'appartient l'honneur de le défendre une fois de plus. Nous nous en remettons à vous du soin de plaider la cause de Paris, sachant que vous y dépenserez toute l'énergie, toute l'éloquence que doit inspirer à un artiste tel que vous l'amour de ce qui est beau, de ce qui est grand, de ce qui est juste. Et si notre cri d'alarme n'est pas entendu, si nos raisons ne sont pas écoutées, si Paris s'obstine dans l'idée de déshonorer Paris, nous aurons du moins, vous et nous, fait entendre une protestation qui honore. [...]

(« Pétition à M. Alphand », *Le Temps*, 14 février 1887)

Note culturelle

Monsieur Alphand   Jean-Charles Alphand :
polytechnicien, il est l'un des trois directeurs
généraux de l'Exposition universelle de
1889. L'exposition, dont le thème était la
Révolution française, présentait les derniers
développements de l'industrie du pays, ses
chefs-d'œuvre artistiques et architecturaux. Elle
a accueilli 28 000 000 de visiteurs et 61 722
exposants et elle couvrait une superficie de
95 hectares. Alphand avait été chargé des
travaux de l'exposition.

B

Est-ce que le texte est subjectif ou objectif, et
quelles sont les expressions qui le montrent ?

C

Brièvement, quelle est votre opinion sur la
question ?

La tour Eiffel, derrière le musée du quai Branly

L'activité suivante va vous montrer les opinions
de Guy de Maupassant au sujet de la tour Eiffel
et des tendances de l'architecture à son époque.
Son texte satirique se moque des monuments
construits à l'occasion des expositions
universelles. Dans le texte ci-dessous l'auteur
traite du palais du Trocadéro ainsi que de la
tour Eiffel ; le palais a aussi été construit pour
l'Exposition universelle de 1889.

Activité 3.3.3 _____

A

Lisez le texte ci-dessous, et répondez aux
questions suivantes.

La Tour... prends garde

La dernière venue a déposé sur la butte
du Trocadéro une espèce de longue
chenille monumentale coiffée de deux
oreilles démesurées, une affreuse bâtisse
qui semble conçue par un pâtissier
prétentieux et rêvant de palais de dessert
en biscuits et en sucre candi.

L'intérieur de cette nougatine, ayant la
forme d'un tunnel, n'aurait pu servir
qu'à un jeu de boules s'il eût été droit.
Comme il était courbe, on y a installé un
musée. [...]

Mais nous voici menacés d'une horreur
bien plus redoutable. Depuis un
mois tous les journaux illustrés nous
présentent l'image affreuse et fantastique
d'une tour de fer de trois cents mètres
qui s'élèvera sur Paris comme une corne
unique et gigantesque.

Ce monstre poursuit les yeux à la façon
d'un cauchemar, hante l'esprit, effraie
d'avance les pauvres gens naïfs qui ont
conservé le goût de l'architecture artiste,
de la ligne et des proportions.

Cette pointe de fer épouvantable n'est curieuse que par sa hauteur. Les femmes colosses ne nous suffisent plus ! Après les phénomènes de chair, voici les phénomènes de fer. Cela n'est ni beau, ni gracieux, ni élégant – c'est grand, c'est tout. On dirait l'entreprise diabolique d'un chaudronnier atteint du délire des grandeurs.

Pourquoi cette tour, pourquoi cette corne ? Pour étonner ? Pour étonner qui ? Les imbéciles. On a donc oublié que le mot art signifie quelque chose. Est-ce donc dans une forge à présent qu'on apprend l'architecture ? N'y a-t-il plus de marbre dans le flanc des montagnes pour faire des statues ou tenter d'élever des monuments ?

Il est vrai que les monuments, depuis un demi-siècle, ne nous réussissent guère non plus et il vaut peut-être mieux montrer aux étrangers cette vilaine folie en leur disant : « Est-ce assez haut ? » – ce qu'ils ne pourront nier – que de les conduire devant notre Opéra national – qui a l'air d'un temple de carton peint avalé par un terminus-hôtel en leur disant : « Est-ce assez beau ? »

Cet édifice colorié, qui appartient à l'art lyreux par sa décoration et à l'art lyrique par sa destination, est assurément un des plus complets échantillons du mauvais goût monumental du monde entier.

(Guy de Maupassant, « La Tour... prends garde », *Chroniques*, Paris, Union Générale d'Éditions, vol. 3, 1980 [1886], pp. 288–92)

Vocabulaire

lyreux   pleurnichard (pour les enfants)

Note culturelle

la Tour... prends garde   titre d'une chanson enfantine qui se danse

1   Maupassant utilise une variété d'adjectifs et de noms pour exprimer son aversion pour ces monuments. Notez :

   (a)   les adjectifs, les verbes et les noms suggérant la taille et la dimension ;

   (b)   les adjectifs, les verbes et les noms suggérant la laideur ou le ridicule.

2   L'auteur utilise plusieurs procédés de style dans sa description du Paris de cette époque. Identifiez :

   (a)   des métaphores : par exemple, « une espèce de longue chenille... » ;

   (b)   des oppositions ou des jeux de mots.

B

Plus loin dans le même texte, Maupassant s'attaque non seulement aux monuments créés à l'occasion de l'Exposition universelle, mais à l'architecture en général. Lisez l'extrait suivant et expliquez en une trentaine de mots ce que Maupassant reproche à l'architecture de son époque.

L'architecture semble un art disparu de France. Il suffit d'un jour passé aux environs de Paris pour contempler une si hideuse collection de maisons de campagne ridicules, de châteaux effroyables, de villas extravagantes, que le doute n'est plus possible : nous avons perdu le don de faire de la beauté avec des pierres, le mystérieux secret de la séduction par les lignes, le sens de la grâce dans les monuments. Nous paraissons ne plus comprendre et ne plus savoir que la seule proportion d'un mur suffit pour constituer une belle chose, une œuvre d'art.

C

Dans l'article on trouve la déclaration suivante :
« nous avons perdu le don de faire de la beauté
avec des pierres ». En vous servant d'exemples
d'architecture de France et/ou d'ailleurs, écrivez
un commentaire subjectif en une centaine
de mots, pour donner votre opinion sur les
monuments construits depuis l'année 1886,
date de la rédaction de l'article de Maupassant.

Section 3.4 Écrire un conte

Au cours de cette section, vous allez aborder encore un autre type de textes : vous allez écrire un conte ou une petite histoire. Tout le monde peut écrire des contes et des histoires. Pour commencer, il suffit d'avoir un peu d'inspiration et de connaître quelques principes simples.

Points clés

- Comprendre la structure générale d'un conte
- Écrire le début d'un conte ou d'une histoire courte

Au début du XXe siècle, un chercheur russe, Vladimir Propp, a fait une découverte intéressante en étudiant cent cinquante contes de fées russes. Il s'est aperçu que tous ces contes, à des niveaux différents, présentaient trente-deux éléments communs qu'il a appelés « fonctions ». Son travail n'a été connu dans les pays occidentaux qu'en 1957, date de publication en Amérique de son livre *Morphology of the Folktale*, traduit ensuite en français en 1965. Un chercheur français, Francis Debyzer, a depuis simplifié le travail de Propp et est arrivé à une liste de treize fonctions. Ces fonctions constituent les étapes de la construction d'un conte et peuvent s'appliquer aussi bien à un conte de fée, à un conte contemporain qu'à un film. Voici les fonctions que nous propose Debyzer. Chaque fonction vous offre une infinité de possibilités de choix.

1 Choisissez le héros/l'héroïne de cette histoire. Décrire ce personnage. Cela peut être un être humain, un animal, un objet, un ectoplasme ou même un concept.

2 Ce personnage désire quelque chose. Le personnage peut désirer l'amour, un emploi, la fortune, la beauté, un remède ou la paix universelle.

3 Le personnage reçoit des renseignements sur la chose désirée. Ces renseignements peuvent provenir d'une bouteille jetée à la mer, d'un vieux manuscrit, d'un document trouvé dans un grenier, d'une annonce dans un journal, d'un spot publicitaire à la radio...

4 Le personnage part à l'aventure. Le personnage va où se trouve la chose désirée. Le mode de transport doit être en accord avec la condition du personnage. Par exemple, s'il s'agit d'un pauvre jeune homme, il doit voyager à pied, à bicyclette ou en auto-stop. Une belle princesse pourra voyager en avion, en première classe.

5 Le personnage rencontre un adjuvant. L'adjuvant est la personne qui vient en aide au héros. C'est Sancho Pansa pour don Quichotte ou le docteur Watson pour Sherlock Holmes.

6 Le personnage doit franchir des obstacles infranchissables. Décrire les difficultés séparant le héros du but de sa recherche. Il peut s'agir d'obstacles naturels – des montagnes, une jungle impénétrable – ou humains – la bureaucratie, la jalousie des autres, etc.

7 Le personnage arrive à destination. Décrire cette destination. Une ville étrangère, un bureau de bienfaisance, une usine...

8 L'adversaire du personnage habite là. L'ennemi de votre héros habite là où se trouve ce qu'il cherche. Décrivez cet adversaire, physiquement et mentalement.

9   Le personnage est vaincu par son adversaire. Pour commencer, le héros est toujours un peu vaincu par son adversaire. Par exemple, Indiana Jones est fait prisonnier et est drogué. Le héros de western n'a plus de balles pour sa Winchester ou le mousquetaire casse son épée...

10 L'adjuvant arrive à la rescousse. Que fait l'adjuvant pour sortir son ami(e) de sa situation désespérée ? Il lui donne une épée neuve, un révolver, les clefs de sa prison...

11 Le personnage triomphe de son adversaire. Votre héros/héroïne bat son adversaire. Comment ?

12 Le personnage rentre avec l'objet convoité.

13 Le personnage principal trouve ce qu'il était venu chercher.

L'histoire se termine au gré du conteur. Au Royaume-Uni, le héros et l'héroïne passent le reste de leur vie à nager dans le bonheur. En France, ils se marient et ont beaucoup d'enfants !

Activité 3.4.1 _____

Dans cette activité, vous allez mettre en pratique ce que vous savez sur les fonctions du conte. Lisez le récit suivant et identifiez les treize étapes de sa construction.

Martine

Elle s'appelait Martine. Elle avait trente-neuf ans et était mariée avec Robert depuis vingt ans. Leur union avait produit deux enfants, Alain, qui approchait les dix-neuf ans, et Marthe, dix-sept ans sonnés. Elle avait passé ces vingt années à la maison, à s'occuper de son mari et de ses enfants. Elle pensait qu'il était maintenant temps de refaire un peu sa vie, d'autant plus que les enfants avaient moins besoin d'elle.

Un jour, elle a rencontré Giselle, une amie d'enfance, au restaurant d'un supermarché. Giselle était toujours première en tout à l'école. Elle était directrice du personnel dans une grande entreprise internationale depuis une dizaine d'années. Martine, elle, était ménagère et avait envie de faire quelque chose de nouveau. Elles ont parlé pendant un bon moment et Giselle a conseillé à Martine d'aller dans un centre d'orientation professionnelle afin de faire évaluer ses aptitudes.

Un bon matin, après avoir pris rendez-vous, et sans rien dire aux membres de sa famille, Martine s'est rendue au centre d'orientation professionnelle de sa ville. Elle avait très peur, tout d'abord parce qu'elle n'était jamais allée dans ce genre d'établissement, et ensuite, elle craignait qu'on lui dise qu'elle n'avait aucune aptitude particulière. Après un quart d'heure interminable, passé dans la salle d'attente, elle est entrée dans un bureau où une jeune femme d'une vingtaine d'années lui a fait passer des tests. Il fallait répondre à des questions de toutes sortes en cochant des cases sur des fiches. Une fois les tests finis, Martine a attendu pendant une demi-heure avant d'être convoquée par une autre employée qui lui a posé beaucoup de questions et lui a conseillé un certain nombre de carrières possibles. Il lui suffisait de faire un choix selon ses possibilités du moment. Par exemple, la conseillère lui a dit que si elle voulait rester ici dans sa ville et rester avec les membres de sa famille, son choix serait plus limité.

Dans l'autobus qui la ramenait chez elle, elle a rencontré Josette, une autre amie d'enfance qu'elle avait perdue de vue depuis quelques années. Josette vivait maintenant comme une ermite depuis qu'elle avait décidé de faire des études par correspondance et aussi au collège. Josette lui a conseillé de faire de même et lui a promis de l'aider.

Martine a dû remplir de nombreux formulaires pour s'inscrire à un cours du soir dans un collège. C'était plutôt ennuyeux à faire, mais beaucoup moins que de subir les sarcasmes incessants de Robert qui craignait d'avoir à faire la cuisine pendant que « madame allait rigoler avec ses nouveaux copains. Comme si elle avait besoin de faire des études à son âge... » Lui qui n'avait pas lu un livre depuis le jour où il avait quitté l'école ne voulait pas voir sa femme constamment le nez plongé dans un bouquin. Ils ont même eu une scène de ménage la veille du jour où Martine devait commencer au collège et il lui avait même interdit de se rendre à ce collège de malheur !

Martine, se rendant compte que la situation allait empirer, avait donc décidé de ne pas se rendre au collège, mais, sans prévenir, Josette est venue la chercher chez elle car elle avait cours aussi ce jour-là. Après une longue discussion, Martine s'est laissé convaincre. En arrivant au collège, elle a été très embarrassée de voir Robert qui l'attendait dans le hall d'entrée. L'air furieux, il est venu la voir, lui disant qu'il ne voulait pas qu'elle gaspille leur argent à s'inscrire à des cours qui ne serviront rien à personne et qui feront que la famille entière en souffrira.

Martine a eu envie de tenir tête à son mari, mais elle a pensé qu'il valait mieux rentrer à la maison et éviter une scène devant tous les autres étudiants. Après tout, elle pourrait peut-être trouver des petits boulots à faire qui lui feraient gagner un peu d'argent de poche. Elle s'apprêtait à tourner les talons lorsque Josette est intervenue. Josette a interpelé Robert et lui a fait honte en le traitant d'égoïste et de phallocrate devant un groupe d'étudiants qui avaient l'air de bien s'amuser en regardant la scène. Robert, interloqué, a fini par capituler et est reparti au travail.

Martine est allée à son cours et, plus tard, à la cafétéria du collège, elle a rencontré des étudiantes qui avaient eu les mêmes ennuis qu'elle au début de leurs études. Néanmoins, c'est avec une appréhension certaine qu'elle a attendu le retour de Robert. Les enfants, eux, avaient toujours pensé que leur mère avait raison de prendre un nouveau départ. Vers sept heures, Robert est entré, un bouquet de fleurs caché derrière son dos, et l'a offert à Martine. Lui qui n'avait pas fait cela depuis un certain temps... Il lui a dit qu'il avait réfléchi à la situation, que Josette avait raison et qu'elle, Martine, avait bien raison de vouloir faire quelque chose de différent à son âge, après avoir passé vingt ans de sa vie à s'occuper des autres.

Martine en est à sa troisième année d'études. Il ne lui en reste que quatre avant d'obtenir son diplôme ! Alain est marié, Marthe est réceptionniste au centre d'orientation professionnelle et Robert va aux cours du soir depuis deux ans, un pour la menuiserie et l'autre pour la plomberie. Sa vie a changé et il est heureux !

Activité 3.4.2 _____

Maintenant, vous allez passer à l'action et créer le début d'un récit à l'aide de quelques fonctions étudiées ci-dessus. Pour vous entraîner, écrivez le début d'un conte en 100–150 mots, en suivant seulement les trois premières étapes (1, 2 et 3) de la liste proposée ci-dessus.

Section 3.5 Améliorer la rédaction d'un texte

Au cours de cette section, vous allez faire de la correction de texte d'une manière plus systématique. Vous allez revoir la notion de connecteur dans la cohésion et la cohérence d'une histoire.

Points clés

- Corriger vos erreurs grâce à une relecture active

- Vérifier et améliorer un texte écrit

Activité 3.5.1 _____

Dans cette activité, vous allez corriger les fautes d'un extrait de conte. Corrigez-le en faisant particulièrement attention à :

1 l'orthographe des mots et leur accord ;

2 la conjugaison et l'accord des verbes.

Il y a vingt-et-une fautes en tout.

> Nous venions de passer Gisors, ou je m'étais réveillé en entendant le nom de la ville criée par les employé, et j'allais m'assoupir de nouveau, quand une secousse épouvantable me jeta sur la grose dame qui me faisait vis-à-vis.
>
> Une roue s'était brisé à la machine qui gisait en travers de la voix. Le tender et le wagon de bagages, déraillé aussi, s'était couché à côte de cette mourante qui râlait, geignait, sifflait, soufflet, crachait, ressemblait à ces cheveux tombé dans la rue, dont le flanc bat, dont la poitrine palpite, dont les naseaux fument et dont tout le corp frissonne, mais qui ne paraît plus capables du moindre effort pour se relever et se remettre a marcher.

Il n'y avait ni morts ni blessé, quelque contusionnés seulement, car le train n'avaient pas encore repris son élan, et nous regardions, désolé, la grosse bête de fer estropiée, qui ne pourrait plus nous traîner et qui barrait la route pour longtemps peut-être, car il faudrait sans doute faire venir de Paris un train de secour.

(Adapté de Guy de Maupassant, *Le Rosier de Madame Husson*, Paris, Conard, 1924 [1887])

Activité 3.5.2 _____

Complétez le texte suivant à l'aide des mots charnières de l'encadré ci-dessous. Attention, certains mots peuvent être utilisés plus d'une fois.

> que • ensuite • lorsque •
> tout à coup • qui • quand • puis •
> laquelle • le • soudain

> Nous suivions une longue rue, légèrement en pente, chauffée d'un bout à l'autre par le soleil de juin, (1) _____ avait fait rentrer chez eux les habitants.
>
> (2) _____, à l'autre bout de cette voie, un homme apparut, un ivrogne (3) _____ titubait.
>
> Il arrivait, la tête en avant, les bras ballants, les jambes molles, par périodes de trois, six ou dix pas rapides, (4) _____ suivait toujours un repos. (5) _____ son élan énergique et court l'avait porté au milieu de la rue, il s'arrêtait net et se balançait sur ses

pieds, hésitant entre la chute et une nouvelle crise d'énergie. (6) _____ il repartait brusquement dans une direction quelconque.

Il venait alors heurter une maison sur (7) _____ il semblait se coller, comme s'il voulait entrer dedans, à travers le mur. Puis il se retournait d'une secousse et regardait devant lui, la bouche ouverte, les yeux clignotants sous le soleil, (8) _____ d'un coup de reins, détachant son dos de la muraille, il se remettait en route.

Un petit chien jaune, un roquet famélique, (9) _____ suivait en aboyant, s'arrêtant (10) _____ il s'arrêtait, repartant quand il repartait.

(Guy de Maupassant, *Le Rosier de Madame Husson*, Paris, Conard, 1924 [1887], pp. 13–14)

Activité 3.5.3 _____

A

Pour finir cette unité, reprenez votre début de conte de l'activité 3.4.2 et complétez-le. Votre conte fera 400 mots environ.

B

Afin de prendre l'habitude de vérifier votre travail, vous allez faire un exercice systématique de correction sur votre conte.

1   Vérifiez une nouvelle fois l'orthographe des mots, en vous servant de votre dictionnaire.

2   Vérifiez aussi les accords des noms et des adjectifs.

3   Analysez chaque verbe et demandez-vous si le temps et la terminaison sont corrects.

C

Enfin, voyez si vous pouvez améliorer votre récit[1] en employant des synonymes, des adverbes, des connecteurs, en étoffant vos phrases avec des compléments et en donnant plus de détails sur l'aspect physique de vos personnages.

_____

[1] En narratologie, le mot « histoire » fait référence à l'intrigue, l'équivalent du scénario. Le mot « récit » fait référence à la façon dont l'intrigue est exprimée : à travers un texte dans un roman, à travers des images dans un film, des sons dans un feuilleton pour la radio, ou un morceau de musique comme dans *Pierre et le loup* de Prokofiev.

Dans cette unité, vous allez apprendre comment écrire dans différents registres et comment adapter des textes à des lecteurs différents, suivant l'exemple de journaux fictifs. À la fin de l'unité, vous serez capable de :

- modifier le registre de langue d'un texte en fonction du lectorat visé ;

- utiliser le registre approprié pour la correspondance officielle ;

- produire des pastiches de textes afin d'explorer différents styles d'écriture.

Unité 4

Section 4.1 Modifier le registre d'un texte

Au cours de cette section, vous allez apprendre à identifier le registre d'un texte et découvrir comment passer d'un registre à un autre.

> ### Points clés
>
> - Passer du registre familier au registre courant
> - Passer du registre formel au registre courant

En général, on adapte son style et son **registre** selon les personnes avec qui on veut communiquer et selon les circonstances de la communication. Le concept de « style » se comprend relativement facilement. La notion de « registre » est peut-être moins facile à « saisir » (registre formel), à « comprendre » (registre courant) ou à « piger » (registre familier).

Il existe plusieurs registres de base qui se répartissent de la manière suivante :

Vulgaire	Familier	Courant	Formel
	piger	comprendre	saisir
Parlé → → → → → → → → → → → Écrit			

Cette progression va, d'une manière générale, du style parlé au style écrit. Ce qui n'empêche pas certains écrivains d'adopter dans leurs livres un style parlé ou vulgaire et certaines personnes de parler comme des livres ! Dans cette section, nous nous concentrerons sur trois registres seulement : familier, courant et formel.

Lorsqu'on parle à un(e) ami(e) de longue date, on peut employer des mots et des expressions familiers qui sont à la limite de la vulgarité. Par exemple, tutoyer un(e) ami(e) est normal, faire la même chose avec un chef d'État peut conduire à un incident diplomatique !

Par rapport au français courant, la **langue familière** se caractérise par :

- l'utilisation de « tu » ;
- l'emploi d'une forme négative incomplète – par exemple, « L'environnement, ça me concerne pas » ;
- l'usage fréquent d'expressions idiomatiques – par exemple, « trempé(e) comme une soupe » (*soaked to the skin*) ou « ne pas être dans son assiette » (*to be out of sorts*) ;
- la chute de certains sons à l'oral – par exemple, « Je ne sais pas » est prononcé [ʃɛpa] ;
- moins de liaisons à l'oral.

Dans toute langue, chaque locuteur dispose de plusieurs possibilités linguistiques qui varient selon les situations et les milieux sociaux. Par suite, il faut bien maîtriser plusieurs registres avant de pouvoir passer d'une manière naturelle de l'un à l'autre selon les circonstances. Mais attention : vous ne devez pas utiliser le registre familier lorsque vous écrivez une rédaction.

Au cours de cette section, vous allez comparer des textes et définir leur registre.

Activité 4.1.1 _____

Dans cette activité, vous allez partir à la recherche de synonymes dans votre dictionnaire. Vous y trouverez des indications qui vous aideront à repérer des expressions familières ou péjoratives.

Lisez le texte ci-contre et remplacez tous les mots familiers ou argotiques (en caractère gras) par des synonymes tirés du registre courant.

Le coin de la France dont **on parle dans** ce volume **montre des coins pas mal** qu'on ne peut visiter qu'à **pinces**. Les vrais touristes préfèrent même encore souvent aller à **pinces** dans les montagnes, lorsqu'ils pourraient faire autrement.

Un certain entraînement est toutefois utile aux personnes qui sont peu habituées à la marche, afin qu'elle ne leur soit pas trop pénible. On doit aussi pour cela éviter le plus possible dans **la bouffe** ce qui peut favoriser la production de la graisse : **boustifaille grasse** et aliments dits d'épargne, farineux, sucre et boissons aqueuses, mais la machine humaine a néanmoins besoin, comme les autres, d'être bien alimentée. On doit également, pour s'entraîner, se priver de **bibine** et de tabac.

Le costume, en laine, sera plutôt léger, mais, surtout si l'on est sujet à **vachement suer**, on aura de quoi se couvrir à l'arrivée, particulièrement sur une hauteur, si l'on doit y stationner. Au besoin, ôter durant la marche **des fringues** qu'on remettra en arrivant. Il sera encore bon alors de **siroter** aussi peu que possible et plutôt chaud que froid, en tout cas à petites **lampées**.

Durant ses premiers mois à la tête de son pays, le Président George Bush a rejeté les accords de Kyoto qui cherchaient à limiter les émissions nocives produites par les pays industrialisés. Ce refus a provoqué une réaction passionnée. Le texte suivant a été choisi parce que le journal (d'extrême gauche) dont il est extrait est connu pour son style particulièrement familier ou argotique.

Activité 4.1.2 _____

A

Lisez le texte, et trouvez des équivalents tirés du registre courant pour les mots en caractères gras. Cherchez-en le sens dans un dictionnaire si nécessaire.

Le protocole de Kyoto entre les mains des pollueurs

Si l'on en croit les résultats de la rencontre entre les représentants des pays engagés dans le protocole de Kyoto […] le temps n'est pas le même pour tout le monde. L'Union européenne est convaincue de l'urgence de lutter contre le réchauffement climatique, tandis que l'Australie et le Canada s'abritent sous **le pébroque** des États-Unis, qui pensent qu'il fera beau demain. […] Washington a promis […] de « nouvelles propositions ». C'est ennuyeux. Car si ce sont les États-Unis qui mènent la bataille contre la pollution, avec un fin stratège comme George Bush Jr., on peut déjà prendre rendez-vous pour la fin du monde. […]

L'_American way of life_ n'est qu'un lent suicide de l'espèce humaine.

D'autant que les États-Unis ne sont pas seuls en cause. Les pays industrialisés représentent moins de 25% de la population terrestre, mais ils consomment les trois quarts de l'énergie. […]

Pour l'instant, c'est de saison – ou plutôt de circonstance – on pense surtout au climat. Il est vrai que les conséquences du réchauffement climatique sur la planète ont de quoi préoccuper les esprits. Les scientifiques les plus pessimistes – en matière de risques écologiques, les pessimistes sont souvent dans le vrai – prévoient une élévation du niveau des mers allant jusqu'à un mètre. Ce qui veut dire qu'**un bon paquet** de pays vont ressembler à la Somme, et de façon permanente. […] Quant aux autres, tout ce qu'elles peuvent espérer, c'est échapper à la sécheresse. Et à la guerre.

La pénurie d'eau, outre les maladies amusantes qu'elle entraîne – choléra, typhoïde, paludisme – est, déjà aujourd'hui, la source de nombreux conflits de préférence dans **des coins** où l'on n'est peu déjà enclin au pacifisme. […] Dans toutes ces régions, d'ici à quarante ans, la température va grimper de 3 à 5 degrés. Leur soif ne va pas se calmer. Bien sûr, l'Américain moyen se dit que tout ça, ce sont des histoires de sauvages.

Devant l'imminence du désastre, on s'attendrait à ce que tout le monde fasse bloc pour s'attaquer au problème. Rien du tout. Au nom de l'économie américaine et de **ses potes** pétroliers, Bush a décidé de venger Pearl Harbour et de rayer Kyoto de la carte. Le Canada et l'Australie ont sauté sur l'occasion pour dire qu'il leur était impossible également pour raison de compétitivité industrielle, de ratifier le protocole sans les États-Unis. Et on peut parier qu'en Europe les grands chevaliers d'industrie vont eux aussi hurler à la pénalisation commerciale. Les forces vives des nations industrialisées ne vont pas s'arrêter à de banales questions de vie ou de mort.

(« Le protocole de Kyoto entre les mains des pollueurs », *Charlie Hebdo*, no. 462, 25 avril 2001)

B

Parmi les cinq expressions suivantes, tirées du texte, quelles sont celles qui sont employées avec ironie par l'auteur de l'article ?

1   l'urgence de lutter

2   un fin stratège

3   les maladies amusantes

4   leur soif ne va pas se calmer

5   banales questions de vie ou de mort

Activité 4.1.3

Reformulez le texte suivant, en trouvant des équivalents tirés du registre courant pour les mots et les expressions en gras, pour arriver à un texte que l'on pourrait publier dans une revue pour adolescents.

> **Nos contemporains** ne **cessent** d'**agresser** la nature. **La flore** et **la faune** sauvages parce que gratuites, sont **méprisées** et **saccagées** par plaisir. On pourrait trouver dans le monde et en France même de nombreux exemples de cette attitude **lamentable**.
>
> En effet, autrefois, la nature était **hostile à** l'homme qui devait s'en défendre. C'est d'ailleurs encore le cas aujourd'hui dans certains pays. C'est pourquoi, dans notre civilisation industrielle, bien que la nature ne soit plus **nuisible**, l'homme, **inconsciemment**, chercherait, tout en **effaçant** le passé, à s'en protéger, **voire** à se venger d'elle.

(Michel Cahour, *Résumés et commentaires*, Paris, Bordas, 1987, p. 26)

Activité 4.1.4

Relisez « Le protocole de Kyoto entre les mains des pollueurs », et réécrivez le texte en 200 ou 300 mots pour un journal destiné à des adolescents. Faites comme si vous passiez un examen et donnez-vous une heure et demie au maximum pour faire ce travail.

Section 4.2 Adapter votre registre au contexte

Au cours de cette section, vous allez manipuler deux registres particuliers : le registre courant et le registre formel dans le contexte de la correspondance écrite.

Points clés

- Écrire une lettre formelle
- Utiliser les formules d'attaque et de conclusion qui conviennent

En écrivant une lettre, une personne change de registre selon :

- le but de la communication, l'idée qu'il/elle se fait du lecteur potentiel ;
- son humeur au moment où il/elle écrit ;
- sa position dans la société (et par rapport à celle du lecteur potentiel) ;
- son environnement au moment où il/elle écrit (matin, après-midi, etc.).

Vous allez apprendre à passer d'un registre à l'autre de manière à vous préparer à mieux communiquer en français dans différents contextes.

Activité 4.2.1 _____

A

Consultez votre dictionnaire bilingue à la section consacrée à la correspondance et notez les phrases et les locutions servant à commencer et à terminer les lettres.

B

Choisissez pour chaque cas proposé dans le tableau ci-contre deux formules de conclusion, l'une appartenant au registre courant et l'autre au registre formel.

	Courant	Formel
Lettre de demande d'information		
Lettre de réclamation		
Demande de service		
Remerciements		
Invitation		
Lettre adressée à un(e) ami(e)		

Activité 4.2.2 _____

La mairie a fait installer un énorme conteneur à verre usagé devant votre immeuble, près de l'entrée du parc qui sert de terrain de sport et de jardin public. Un ami, qui connaît vos talents d'écriture, vous envoie une note vous demandant d'en faire une lettre officielle à adresser à Madame Dupont, maire de la ville.

Transformez cette note en lettre officielle adressée à Madame Dupont. Vous n'êtes pas obligé(e) de reprendre tout ce qui est dit dans cette note.

Pour vous aider, vous pourriez copier le style des lettres qui vous sont présentées dans la partie centrale de certains dictionnaires bilingues.

Salut,

Est-ce que tu pourrais écrire, vite fait, une petite lettre à la mairie pour dire que nous, les résidents de la rue du Parc, on trouve que ce sacré conteneur est une drôle de nuisance ? Tu pourras leur dire à ces messieurs-dames que les bouts de verre sont dangereux pour les passants. Surtout en hiver. On les voit pas dans la neige ou alors, ils sont collés au trottoir par le verglas. Et l'été ! Qu'est-ce que ça pue ! Et les mouches ? Il doit bien en avoir des millions qui sont attirées par les odeurs des bouteilles sales ! Enfin, dis-leur d'aller balancer leur sacré conteneur ailleurs. Et pourquoi pas devant la porte du maire, hein ? Ça, ça serait vachement rigolo...

Merci d'avance. On se fera un petit gueuleton pour fêter le succès de ta lettre.

Anatole

Vocabulaire

vite fait   rapidement

un gueuleton (arg.)   un bon repas

Au cours des deux activités qui suivent, vous allez vous entraîner à écrire deux versions d'une lettre, destinées à des lectorats différents, d'abord dans un registre courant et ensuite dans un registre formel.

Activité 4.2.3 _____

A

Lisez le scénario suivant, et dites ce que vous feriez dans une telle situation.

> Vous êtes en vacances au bord de la mer. Au cours d'une promenade sur une plage vous remarquez un tuyau qui déverse des liquides de couleurs différentes sur le sable. Vous vous demandez d'où viennent ces liquides, d'autant plus que vous avez vu des enfants jouer sur cette partie de la plage.

B

Complétez la lettre suivante, dans laquelle vous faites part de votre inquiétude à un(e) ami(e). Dans cette lettre, d'environ 100 mots, vous devrez :

* décrire la scène que vous avez vue ;

* exprimer vos inquiétudes ;

* annoncer ce que vous avez l'intention de faire à ce sujet ;

* terminer votre lettre avec une formule qui vous paraîtra appropriée.

> Cher.../Chère...
>
> Merci de ta lettre de mercredi dernier. Je suis très content(e) que tes vacances au Portugal se passent bien. Tu as de la chance que le temps soit au beau fixe depuis ton arrivée.
>
> Ici, le temps est changeant. Figure-toi qu'hier, j'ai aperçu une sorte de gros tuyau à une extrémité de la plage...

Activité 4.2.4 _____

Reprenez les éléments du scénario proposé dans l'activité précédente et écrivez au maire de la commune où vous êtes en vacances. Adaptez votre registre à votre nouveau lecteur.

> Monsieur le/Madame la Maire,
>
> J'ai l'honneur de porter à votre connaissance le fait que...

Section 4.3 Modifier le style d'un texte

Au cours de cette section, vous allez travailler votre style écrit pour l'adapter à divers types de lecteurs.

Points clés

- Reconnaître différents styles de présentation des informations
- Imiter le style d'un journal

Le recueil de textes qui suit montre d'une manière un peu simplifiée comment les journaux traitent l'information. À partir d'un reportage réel d'environ 990 mots, nous avons produit des articles provenant de quatre quotidiens fictifs. Ces articles de presse montrent l'information que ces journaux fictifs ont filtrée pour leurs lecteurs. Ce recueil a pour but d'illustrer le principe selon lequel tout texte est conçu pour un lectorat particulier.

Activité 4.3.1

A

Lisez « Une presse sélective » puis complétez la grille à la page 67, en cochant les bonnes cases.

Une presse sélective

La Voix régionale

Un professeur de l'université Alphonse Allais[1] participe à la rédaction d'un rapport alarmiste sur l'environnement. M. Étienne Marescault, professeur de climatologie à la faculté des sciences de notre université, et beau-frère de notre sympathique dépositaire de la rue des Espoirs, a participé, en 1999, à la rédaction d'une étude de la Croix-Rouge. Cet article constate qu'il y aura bientôt une hausse de la fréquence et de la gravité des catastrophes naturelles dans le monde. Le rapport de la Croix-Rouge confirme les prédictions les plus pessimistes de M. Marescault qui les présentera à l'hôtel de ville jeudi prochain, dans le cadre des journées écologistes organisées par la municipalité.

[1] Cette université est fictive.

Nouveau Combat

Globalisons nos ressources pour les redistribuer. La Croix-Rouge a produit un rapport qui montre que 10 millions de gens sont exposés aux inondations dans les zones côtières, que la désertification menace le Sahel tandis que le déboisement pèse lourd sur les forêts tropicales du monde, qu'en Russie, un habitant sur trois vit avec moins d'un dollar par jour et que plus d'un million d'enfants sont sans foyer.

En l'an 2025, près de 80% de la population vivra dans les pays en développement, et, finalement, en l'an 2100, 60% de la population mondiale vivra dans des régions où sévira la malaria. Et tout cela, parce que, dans les pays industrialisés, la consommation par habitant augmente de manière régulière depuis 25 ans. Et cette croissance de la consommation soumet l'environnement à rude épreuve.

On sait que 20% de la population mondiale vivant dans les pays les plus riches est notamment responsable de 53% des émissions de dioxyde de carbone et que la consommation faite par les pays riches est supportée par les pauvres du globe.

Les Nations Unies s'inquiètent de ce que « la chute spectaculaire des budgets consacrés à l'aide, le recul des gouvernements et les dynamiques divergentes de l'endettement et de la mondialisation laissent les pauvres sur le bord de la route et que cette combinaison fatale de mutations de l'environnement, d'injustices économiques et d'inaction politique va maintenant dominer la scène humanitaire. »

À long terme, si elle n'empêchera pas les cataclysmes de se déclencher, une redistribution des ressources à l'échelle planétaire s'avère impérative pour en minimiser les effets.

Les Dernières Nouvelles

La fin du monde serait-t-elle proche ? Une étude de la Croix-Rouge en 1999 déclare qu'il y aura bientôt une hausse de la fréquence et de la gravité des catastrophes naturelles dans le monde. Nos lecteurs ne seront pas surpris par ce rapport car, la semaine dernière, nous avons consacré une grande rubrique aux prédictions de Nostradamus qui nous assure que la fin du monde aura lieu avant la fin de l'année 2000. En attendant, l'étude de la Croix-Rouge confirme que nous avons la chance de vivre dans un pays riche et que nous sommes à l'abri des inondations qui ravagent les pays du tiers-monde. Néanmoins, à l'avenir, il faudra faire en sorte que les championnats de football se déroulent en Europe, afin d'éviter des perturbations possibles causées par les cataclysmes prévus sur les autres continents.

L'Information

La Croix-Rouge vient de publier son étude intitulée *World Disasters Report 1999*.

L'étude déclare que le réchauffement du globe, la dégradation de l'environnement et la croissance de la population risquent de mener à une hausse de la fréquence et de la gravité des catastrophes naturelles dans le monde. L'année 1998 a été en effet une année record à cet égard comme l'a d'ailleurs aussi constaté le réassureur suisse Swiss Re dans sa recension annuelle des catastrophes mondiales : *Natural Catastrophes and Man-made Disasters 1998 : Storms, hail and ice cause billion-dollar losses.* Bilan : 44 700 morts, des milliers de blessés et de sans-abris, plus de 65 milliards de dollars en pertes dont 17 milliards seulement ont été assurés.

Le rapport de la Croix-Rouge note que :

- plus de la moitié des réfugiés le sont à cause de catastrophes naturelles ;

- 10 millions de gens sont exposés aux inondations dans les zones côtières ; les inondations par ailleurs ont créé près de 3 millions de sans-abris ;

- en Russie, un habitant sur trois vit avec moins d'un dollar par jour et plus d'un million d'enfants sont sans foyer. L'espérance de vie des hommes est de 58 ans.

- en l'an 2025, près de 80% de la population vivra dans les pays en développement ;

- en l'an 2100, 60% de la population mondiale vivra dans des régions où sévira la malaria, ce qui engendrera une augmentation importante du nombre de cas, soit entre 50 et 80 millions de nouveaux cas.

La dégradation de l'environnement est étroitement liée à nos modes de vie notamment dans les pays riches. Selon le *Rapport 1998 sur le développement humain* publié par le Programme des Nations Unies pour le développement, les dépenses de consommation publiques et privées atteindront 24 000 milliards de dollars en 1998, soit deux fois plus qu'en 1975 et six fois plus qu'en 1950.

Dans les pays industrialisés, la consommation par habitant augmente de manière régulière (à un rythme d'environ 2,3% par an) depuis 25 ans. Elle est aussi spectaculaire en Asie tandis que la consommation d'un ménage africain est en recul de 20% par rapport à il y a 25 ans. Les 20% de la population mondiale vivant dans les pays les plus riches sont notamment responsables de 53% des émissions de dioxyde de carbone.

Dans son dernier rapport (1999), publié en juillet, le *Rapport* constate à nouveau l'écart grandissant entre pays pauvres et pays riches. « La fortune des trois hommes les plus riches du monde dépasse le produit national brut cumulé des 35 pays les moins avancés et de leurs 600 millions d'habitants. » À l'échelle des États, le cinquième de la population vivant dans les pays les plus riches représente 86% du PIB mondial, 82% des marchés d'exploitation, 68% des investissements directs à l'étranger et 74% de l'ensemble des lignes téléphoniques. Le cinquième le plus pauvre ne possède qu'environ 1% de ces ressources.

(Basé sur le Programme des Nations Unies pour le développement (PNUD), *Le Devoir*, 13 juillet 1999)

Vocabulaire

le dépositaire   l'agent local, le distributeur

PIB   Produit Intérieur Brut

Note culturelle

le Sahel   la zone qui borde le Sahara vers le sud

Quotidiens	Informations à caractère local	Informations à caractère international	Lectorat aimant les détails et les statistiques	Lectorat de gauche	Journal fantaisiste
La Voix régionale	☐	☐	☐	☐	☐
Nouveau Combat	☐	☐	☐	☐	☐
Les Dernières Nouvelles	☐	☐	☐	☐	☐
L'Information	☐	☐	☐	☐	☐

B

Écrivez un paragraphe d'une centaine de mots environ dans lequel vous comparerez comment *La Voix régionale* et *L'Information* présentent les mêmes faits.

C

Relisez les sections qui sont consacrées à *Nouveau Combat* et aux *Dernières Nouvelles*, puis complétez le tableau suivant.

But de l'article	*Nouveau Combat*	*Les Dernières Nouvelles*
Convaincre	☐	☐
Faire peur	☐	☐
Distraire	☐	☐
Donner des statistiques	☐	☐
Donner des justifications ésotériques	☐	☐
Faire l'apologie de la redistribution équitable des ressources naturelles	☐	☐
Reconnaître l'importance du football pour son lectorat	☐	☐

D

Écrivez un paragraphe d'une centaine de mots environ dans lequel vous comparerez comment *Nouveau Combat* et *Les Dernières Nouvelles* présentent les mêmes faits.

Activité 4.3.2

A

À votre tour de jouer au reporter. Dans cette activité, vous allez écrire des articles sur la pollution marine par les pétroliers pour deux journaux différents.

Lisez la dépêche ci-dessous, envoyée par l'agence *Éco-Presse*, puis écrivez un article d'environ 150 à 200 mots pour votre journal. Votre lectorat se définit de la façon suivante. Il est :

- contre les grosses sociétés commerciales et les multinationales ;

- amoureux de la nature ;

- partisan des sources d'énergie renouvelable ;

- contre tout ce qui fait augmenter les impôts.

> Un pétrolier, l'Intrépide, vient de s'échouer sur les côtes de la Méditerranée, à 2 km de St Tropez. 220 000 tonnes de fioul ont été déversées d'un coup sur le littoral en pleine saison estivale. De gros paquets de mazout recouvrent des plages entières. C'est un produit très salissant mais non toxique. De toute façon, « le maximum sera fait par la compagnie pétrolière Santa Maria pour tout nettoyer ». Les Verts, de leur côté, demandent au public de boycotter les stations service Santa Maria, pour affirmer le principe selon lequel les pollueurs doivent être les payeurs. Mais la ministre de l'Industrie rappelle qu'en France le boycott est illégal.

B

Pour « arrondir vos fins de mois », vous allez vendre un autre article sur le même sujet à un autre journal. Réécrivez votre article pour tenir compte du nouveau lectorat. Celui-ci se définit de la façon suivante. Il est :

- pour le libéralisme avancé (pour le commerce libre et contre les nationalisations) ;

- indifférent à la nature qui n'est, en fait, qu'une ressource comme une autre ;

- pour l'intervention de l'État lors des catastrophes ;

- partisan de toutes sources d'énergie, quelles qu'elles soient.

Vérifiez ensuite votre travail en utilisant la liste d'auto-évaluation de l'activité 3.2.1. Contrôlez en particulier le style de votre article en cochant à chaque fois ceux des quatre aspects de la définition que vous pensez avoir pris directement ou indirectement en considération.

Section 4.4 — Écrire un texte pour un lectorat particulier

Au cours de cette section, vous allez réviser d'une manière pratique ce que vous avez appris sur la notion de registre. Vous allez aussi revoir la notion de « cible », c'est-à-dire prendre en considération le public envisagé lorsqu'on écrit quelque chose.

Points clés

- Modifier un texte en fonction du public auquel il s'adresse
- Écrire un texte en fonction d'un lectorat particulier

Revenons à l'idée de registre. Vous allez, au cours des activités qui suivent, écrire des textes sur le même sujet, mais destinés à des publics différents.

Activité 4.4.1 _____

A

Lisez le texte ci-dessous et identifiez le registre dans lequel il a été écrit.

> Autrefois, l'Homme dégradait la nature. Ainsi, le feu, les conquêtes des civilisations anciennes et les découvertes de la Renaissance ont provoqué de nombreuses destructions qui se sont aggravées au dix-neuvième et au vingtième siècles.
>
> Mais la situation a été considérablement détériorée par l'expansion planétaire de l'industrialisation, la mondialisation, la démographie galopante, et les difficultés économiques. Pire encore : nous dissipons nos ressources énergétiques et alimentaires, ce qui constitue une menace pour notre survie.
>
> L'Homme, trop confiant dans la technique, pense aujourd'hui pouvoir se libérer de sa dépendance séculaire vis-à-vis de la nature.

B

Imaginez que ce texte que vous venez de lire soit le résumé des idées principales d'une de vos rédactions sur l'environnement. Écrivez une rédaction de 200 à 300 mots en étoffant « votre » résumé, pour un public d'adolescents. Pour faire ce travail, vous devrez :

- réécrire le texte du résumé en remplaçant le plus grand nombre possible de ses mots par des synonymes ;
- donner des explications et des exemples ;
- ajouter des idées secondaires pour expliquer certains concepts qui, à votre avis, sont difficiles à comprendre pour des adolescents.

C

Reprenez le texte que vous avez écrit et changez-le pour l'adapter à un nouveau public, composé, cette fois-ci, d'adultes qui pensent que vos idées sont alarmistes. Vous essayez de les convaincre du bien-fondé de votre point de vue. Commencez ainsi :

> Certains éminents experts déclarent que, depuis très longtemps, les êtres humains endommagent la nature…

Vous pourrez aussi employer certaines des expressions suivantes :

> Vous savez bien que… ; Tout le monde sait bien que… ; Vous n'ignorez que… ; Vous n'ignorez quand même pas que… ; Vous n'ignorez tout de même pas que… ; Je vais vous dire une chose : écoutez-moi bien… ; Il n'est pas question de… ; Sachez bien que… ; Encore une fois, je vous le répète…

Activité 4.4.2 _____

Écrivez un article de 200 à 300 mots pour donner votre opinion sur un des sujets suivants :

- La pollution mettra fin à la vie sur notre planète

- L'environnement et l'intérêt des multinationales sont incompatibles

- Lorsque la Terre sera complètement saccagée, nous irons coloniser une autre planète

- L'effet de serre n'a rien à voir avec la pollution

Employez les expressions suivantes si vous avez besoin d'exprimer :

- une opinion

    je crois que ; je pense que ; je trouve que ; d'après moi ; à mon avis...

- la certitude

    il est sûr/certain que ; il est clair/évident que ; bien sûr ; évidemment ; je suis convaincu(e) que ; il est incontestable que...

- la probabilité

    il est probable que ; il me semble que ; il semble/semblerait bien que...

- le doute

    je ne crois pas que ; je ne pense pas que ; cela m'étonnerait que...

Les textes rassemblés dans cette unité reflètent la politique nationale de la France à travers quelques portraits de personnages clés de l'histoire. Vous allez examiner la manière dont les auteurs présentent ces personnages : certains de ces portraits sont de caractère impersonnel et encyclopédique ; dans d'autres, les auteurs expriment un point de vue très subjectif. Vous allez vous entraîner à analyser ces textes pour mieux apprendre à écrire, vous-même, des descriptions objectives et subjectives de personnes et d'événements dans les affaires publiques.

Une fois que vous avez complété l'unité, vous serez capable de :

- écrire un portrait objectif d'un personnage politique ;

- écrire des portraits subjectifs – admirateurs et critiques ;

- résumer un passage écrit.

Unité 5

Section 5.1 Écrire un portrait objectif

Dans cette section, vous allez examiner quatre portraits de personnages politiques. Deux de ces portraits sont rédigés de façon objective, alors que les deux autres présentent des récits plus subjectifs. Après avoir comparé les styles de ces textes, vous rédigerez le portrait d'un personnage historique fictif et d'un personnage politique.

Points clés

- Décrire la carrière et l'idéologie d'un personnage politique
- Écrire un portrait physique objectif

Nous commençons par exposer des éléments de description objective dans des monographies et des biographies plutôt neutres, qui présentent des faits qui ne trahissent pas d'opinion personnelle.

Activité 5.1.1 _____

Lisez les biographies suivantes de Charles de Gaulle et de François Mitterrand. Ces deux textes figurent sur deux sites Internet officiels, respectivement celui du premier ministre et celui du président de la France. Ensuite, caractérisez le style de ces deux textes :

- objectif/subjectif ?
- informatif ? affectif ? argumentatif ?
- registre formel/courant/familier ?
- verbeux/concis ?

Charles de Gaulle (1890–1970)

Après une année de préparation au collège Stanislas à Paris, Charles de Gaulle est reçu en 1908, à 18 ans, à l'École spéciale militaire de Saint-Cyr. [...]

Ses thèses en faveur de l'usage de véhicules blindés et de la guerre de mouvement trouvent peu d'écho, mais il se lie avec les adversaires du fascisme et des accords de Munich comme Léo Lagrange et Paul Reynaud dans le gouvernement duquel il occupe le poste de sous-secrétaire d'État à la Guerre en juin 1940.

Il part à Londres au moment de la débâcle et, le 18 juin, sur la BBC, appelle les Français à continuer le combat. En 1944, appuyé sur un mouvement de Résistance, il dirige un gouvernement provisoire où il préside à l'épuration et à une série de nationalisations.

Irrité par le régime exclusif des partis sur la question de l'élaboration de la nouvelle Constitution, il démissionne le 20 janvier 1946, mais son mouvement, le Rassemblement du peuple français, obtient des succès électoraux jusqu'en 1953.

Il revient à la politique en tant que président du Conseil le 1 juin 1958 pour juguler l'insurrection algérienne. Il fonde alors une nouvelle République, dont la Constitution est approuvée par le peuple le 28 septembre.

Charles de Gaulle est élu président de la Ve République et travaille en priorité à résoudre le conflit algérien. Dans la période de forte expansion des années 60, il se pose en champion de l'indépendance nationale face aux États-Unis (lancement de la force de dissuasion nucléaire, retrait de l'OTAN, ...) et se rallie à l'idée de l'intégration européenne.

Un vaste mouvement de contestation sociale ébranle son pouvoir en mai 1968, et l'oblige à dissoudre l'Assemblée nationale. Les élections sont un triomphe pour le parti au pouvoir, mais l'année suivante, lors d'un référendum portant sur la décentralisation et la limitation des pouvoirs du Sénat, le non l'emporte, ce qui amène le général de Gaulle à démissionner (28 avril 1969).

Il se retire à Colombey-les-Deux-Églises et commence à rédiger ses mémoires, qu'il poursuivra jusqu'à sa mort, le 9 novembre 1970.

(Adapté de Portail du gouvernement – premier ministre, « La biographie de Charles de Gaulle », 2004, http://www.premier-ministre. gouv.fr/acteurs/premier_ministre/histoire_ chefs_gouvernement_28, dernier accès le 30 septembre 2008)

Vocabulaire

juguler   arrêter

Notes culturelles

Léo Lagrange   homme politique français (1900–1940), sous-secrétaire d'État aux Sports et aux Loisirs dans les années trente

Paul Reynaud   homme politique français (1878–1966), plusieurs fois ministre sous la IIIᵉ République, qui a duré de 1919 à 1939

la débâcle   la capitulation des forces armées françaises en mai 1940 face à l'invasion allemande

l'épuration   à la Libération (1945), représailles contre ceux ayant collaboré avec les autorités d'occupation allemande

président du Conseil   le président du Conseil a été le chef du gouvernement sous plusieurs régimes dont la IIIᵉ et la IVᵉ Républiques

l'OTAN   l'Organisation du traité de l'Atlantique Nord (*NATO*). Membre fondateur de l'OTAN, la France s'est retirée de sa structure militaire en 1966, sous de Gaulle.

François Mitterrand (1916–1996)

François Mitterrand est né à Jarnac le 26 octobre 1916.

Il achevait ses études à Paris lorsqu'il fut mobilisé en septembre 1939 ; trois fois cité, blessé, fait prisonnier, il parvint à s'évader en décembre 1941 [...]. De retour en France, il ne tarda pas à rejoindre les rangs de la Résistance et passa dans la clandestinité en 1943 : sa carrière politique procède directement de cet engagement.

Fédérateur et chef de l'ensemble des mouvements de résistance des prisonniers de guerre, il fut appelé, en août 1944, à participer à l'éphémère « gouvernement des secrétaires généraux » à qui le général de Gaulle avait confié la responsabilité du territoire national jusqu'à l'installation du gouvernement provisoire à Paris.

Élu député de la Nièvre en novembre 1946, il assuma des responsabilités ministérielles tout au long des dix premières années de la IVᵉ République. Ministre de la France d'outre-mer et partisan résolu de la décolonisation, il mit fin aux tensions qui menaçaient la cohésion de plusieurs territoires [...]. Démissionnaire en 1953, à la suite de la déposition du sultan du Maroc, il réintégra le gouvernement l'année suivante et fut ministre de l'Intérieur dans le cabinet Mendès-France (1954–1955), puis garde des sceaux dans le cabinet Guy Mollet (1956).

En 1958, François Mitterrand dénonça le « coup d'État » qui avait porté le général de Gaulle au pouvoir et prit position contre les institutions de la Ve République. Il y perdit son siège de député, qu'il retrouva dès 1962 après un bref passage au Sénat.

Élu maire de Château-Chinon en 1959 et président du conseil général de la Nièvre en 1964, il attendit, dans sa retraite du Morvan, l'occasion de revenir sur la scène nationale. Candidat unique de la gauche à l'élection présidentielle de 1965, il mit de Gaulle en ballotage et recueillit près de 45% des suffrages au second tour. À partir de 1971, Mitterrand s'imposa définitivement comme le candidat de la gauche unie. Il manqua de peu l'élection de 1974, mais fut élu président de la République en 1981 et facilement réélu en 1988. Succédé par Jacques Chirac en mai 1995, François Mitterrand est mort à Paris le 8 janvier 1996.

(Présidence de la république, « François Mitterrand (1916–1996) », 2005, http://www.elysee.fr/lapresidence/index. php ?mode=gallery, dernier accès le 30 septembre 2008)

Vocabulaire

en ballotage situation où aucun candidat à une élection n'a pu dégager la majorité nécessaire

Notes culturelles

la déposition du sultan du Maroc en 1953, le sultan Mohammed Ben Youssef est déposé par les autorités françaises, suite à des négociations sur l'indépendance du Maroc. Cette action déclenche une révolution au Maroc. Le Maroc gagne son indépendance en 1955. Mohammed Ben Youssef retourne à Rabat pour devenir le roi Mohammed V.

Mendès-France Pierre Mendès-France (1907–1982) : homme politique français radical-socialiste, président du Conseil 1954–1955.

garde des sceaux titre historique porté par le ministre de la Justice

Guy Mollet homme politique français (1905–1975). Il fut secrétaire général de la SFIO (Section française de l'internationale ouvrière) qui deviendra le Parti socialiste en 1969. Il fut président du Conseil en 1956–1957.

le Morvan massif montagneux situé en Bourgogne

Activité 5.1.2

A

Écrivez une courte biographie (120–150 mots) en vous servant des indications qui vous sont données en vrac ci-dessous. Donnez un nom à ce personnage historique fictif. Essayez avant tout de conserver un ton neutre et objectif. Utilisez le présent de narration ou le passé composé.

- Devient président(e) du Parti démocratique indépendant (PDI)
- Accident de cheval/fracture d'épaule
- Études supérieures à la Sorbonne
- Établit comité d'étudiants pacifistes
- Élève à l'École des Moineaux
- Décès à Londres 1968

- Accusé(e) d'espionnage

- Mort de son père 1915 (en France)

- Études de médecine

- Exil en Espagne

- Publication de *La guerre contre la guerre*

- Naissance à Montréal 1888

- Convalescence en Angleterre

- Mariage civil à Pascale/Pierre Lajoie ;
  quatre enfants

B

Écrivez un article, de 150 à 200 mots environ, du même genre encyclopédique que ceux que vous avez lus dans l'activité 5.5.1. Dans cet article, vous présenterez un personnage politique, historique ou contemporain, réel ou fictif. Indiquez les détails suivants :

- l'époque à laquelle appartient ce personnage ;

- ses origines ;

- son parti ou sa tendance politique ;

- les dates et faits marquants de sa carrière.

_____

Dans l'activité suivante, vous allez étudier des descriptions d'hommes politiques beaucoup plus partisanes que celles sur de Gaulle et Mitterrand.

Le premier texte est écrit par Mme de Staël (1766–1817), intellectuelle et romancière, qui a été l'une des femmes les plus influentes de l'Europe à l'époque napoléonienne. Elle a présidé un brillant salon littéraire à Paris aux alentours de 1800, mais a été bannie de la capitale par ordre de Napoléon, au règne duquel elle s'opposait. Dans le texte que vous allez lire, elle fait la critique de Robespierre (1758–1794), un des protagonistes principaux de la Révolution française de 1789.

Dans le deuxième texte, Victor Hugo (1802–1885) attaque la réputation de Louis Napoléon Bonaparte (1808–1873). Louis Napoléon passait sa jeunesse hors de France, où, depuis 1815, la monarchie des Bourbons a été restaurée. En 1850, il a remporté la victoire aux élections présidentielles (Hugo a soutenu sa candidature). Mais, le 2 décembre 1851, le nouveau président a monté un coup d'état et, l'année suivante, s'est fait proclamer Empereur Napoléon III. Il s'est ensuivi une vague de répression. Hugo s'est exilé en Belgique, puis aux Îles Anglo-Normandes. Le texte que vous allez lire a été publié pour la première fois en Angleterre en 1862.

Activité 5.1.3 _____

Lisez « Robespierre vu par Mme de Staël » et « Le président qui s'est fait empereur », puis complétez la grille à la page 77 en relevant des détails concernant la description physique des sujets des deux portraits.

Robespierre vu par Mme de Staël

Aucun nom ne restera de cette époque, excepté Robespierre. Il n'était cependant ni plus habile ni plus éloquent que les autres : mais son fanatisme politique avait un caractère de calme et d'austérité qui le faisait redouter de tous ses collègues. J'ai causé une fois avec lui chez mon père, en 1789, lorsqu'on ne le connaissait que comme un avocat de l'Artois, très exagéré dans ses principes démocratiques.

Ses traits étaient ignobles, son teint pâle, ses veines d'une couleur verte ; il soutenait les thèses les plus absurdes avec un sang-froid qui avait l'air de la conviction ; et je croirais assez que, dans les commencements de la révolution, il avait adopté de bonne foi, sur l'égalité des fortunes aussi bien que sur celle des rangs, de certaines idées attrapées dans ses lectures, et dont son caractère envieux et méchant s'armait avec plaisir. Mais il devint ambitieux lorsqu'il eut triomphé de son rival en démagogie, Danton [...]. Robespierre [voulait] seulement du pouvoir ; il envoyait à l'échafaud les uns comme contre-révolutionnaires, les autres comme ultra-révolutionnaires. Il y avait quelque chose de mystérieux dans sa façon d'être, qui faisait planer une terreur inconnue au milieu de la terreur ostensible que le gouvernement proclamait. Jamais il n'adopta les moyens de popularité généralement reçus alors : il n'était point mal vêtu ; au contraire, il portait seul de la poudre sur ses cheveux, ses habits étaient soignés, et sa contenance n'avait rien de familier. Le désir de dominer le portait sans doute à se distinguer des autres, dans le moment même où l'on voulait en tout l'égalité.

(Germaine de Staël, *Considérations sur les principaux événements de la Révolution française*, Paris, Delaunay, 1818, http://gallica.bnf.fr/ark:/12148/bpt6k41796t, dernier accès le 8 décembre 2008)

Note culturelle

Danton homme politique et révolutionnaire français (1759–1794). Après la chute de la monarchie en 1792, il est élu ministre de la Justice. En 1793, il est exclu du Comité de salut public car il est jugé trop modéré. Accusé de trahison par Robespierre, il sera guillotiné.

Le président qui s'est fait empereur

Louis Bonaparte est un homme de moyenne taille, froid, pâle, lent, qui a l'air de n'être pas tout à fait réveillé. Il a publié, nous l'avons rappelé déjà, un Traité assez estimé sur l'artillerie, et connaît à fond la manœuvre de canon. Il monte bien à cheval. Sa parole traîne avec un léger accent allemand. [...] Il a la moustache épaisse et couvrant le sourire comme le duc d'Albe, et l'œil éteint comme Charles IX.

Si on le juge en dehors de ce qu'il appelle « ses actes nécessaires » ou « ses grands actes », c'est un personnage vulgaire, puéril, théâtral et vain. Les personnes invitées chez lui, l'été, à Saint-Cloud, reçoivent, en même temps que l'invitation, l'ordre d'apporter une toilette du matin et une toilette du soir. Il aime la gloriole, le pompon, l'aigrette, la broderie, les paillettes et les passequilles, les grands mots, les grands titres, ce qui sonne, ce qui brille, toutes les verroteries du pouvoir. En sa qualité de parent de la bataille d'Austerlitz, il s'habille en général.

Peu lui importe d'être méprisé, il se contente de la figure du respect.

[...] Il y a maintenant en Europe, au fond de toutes les intelligences, même à l'étranger, une stupeur profonde, et comme le sentiment d'un affront personnel ; car le continent européen, qu'il le veuille ou non, est solidaire de la France, et ce qui abaisse la France humilie l'Europe.

Avant le 2 décembre, les chefs de la droite disaient volontiers de Louis Bonaparte : C'est un idiot. Ils se trompaient. Certes, ce cerveau est trouble, ce cerveau a des lacunes, mais on peut y déchiffrer par endroit plusieurs pensées de suite et suffisamment enchaînées. C'est un livre où il y a des pages arrachées. Louis Bonaparte a une idée fixe, mais une idée fixe n'est pas l'idiotisme. Il sait ce qu'il veut, et il y va. À travers la justice, à travers la loi, à travers la raison. À travers l'honnêteté, à travers l'humanité, soit, mais il y va.

(Victor Hugo, *Napoléon le Petit*, Paris, Hetzel, 1870, http://gallica2.bnf.fr/ark:/12148/bpt6k5406147k, dernier accès le 8 décembre 2008)

Napoléon III

Vocabulaire

les passequilles   décoration sur un vêtement, faite de rubans, de broderies, de perles, etc.

Notes culturelles

le duc d'Albe   général espagnol (1508–1582) rendu célèbre par ses cruautés

Charles IX   né en 1550, il a été roi de France de 1560 jusqu'à sa mort en 1574

Austerlitz   bataille en Moravie (1805) où Napoléon Bonaparte a battu les Autrichiens et les Russes. Ici, Hugo déclare que Napoléon III porte un uniforme de général parce que son oncle a gagné une bataille.

	Descriptions physiques objectives	Opinions subjectives de l'auteur sur le physique et l'apparence des personnages
Mme de Staël au sujet de Robespierre		
Victor Hugo au sujet de Napoléon		

Activité 5.1.4 _____

Êtes-vous capable d'être impartial(e) ?! Écrivez une description de 50 à 100 mots, d'un personnage politique actuel ou historique.

1   Concentrez-vous sur son portrait physique.

2   Décrivez l'aspect extérieur de ce personnage d'une manière objective.

Section 5.2 Écrire un portrait élogieux

Dans cette section, vous allez étudier une description flatteuse de personnage politique et en produire une vous-même.

Point clé

- Écrire un portrait positif d'un personnage politique

Dans l'activité suivante, vous allez lire un hommage au général Charles de Gaulle par l'écrivain François Mauriac (1885–1970), publié le jour même de la libération de Paris en août 1944. Dans le texte, il s'agit moins d'un portrait que d'une véritable acclamation d'un homme qui, pour l'auteur, comme pour beaucoup d'autres Français à cette époque, semblait incarner l'âme de son pays. Mauriac avait continué d'écrire sous l'occupation nazie, dans « une maison pleine d'Allemands ». D'esprit conservateur mais grand opposant des régimes totalitaires, le romancier catholique s'est associé, dans la Résistance, à des hommes de gauche.

Activité 5.2.1

Lisez « Le premier des nôtres », et notez les détails qui illustrent l'admiration de Mauriac à l'égard du général de Gaulle. Concentrez-vous sur :

- l'utilisation que l'auteur fait des répétitions ;
- l'emploi des images ;
- le choix du vocabulaire.

Le premier des nôtres

À l'heure la plus triste de notre destin, l'espérance française a tenu dans un homme ; elle s'est exprimée par la voix de cet homme – de cet homme seul. Combien étaient-ils, les Français qui vinrent alors partager sa solitude, ceux qui avaient compris à leur manière ce que signifie : faire don de sa personne à la France ?

Morts ou vivants, ces ouvriers obscurs de la première heure resteront incarnés pour nous dans le chef qui les avait appelés et qu'après avoir tout quitté ils ont suivi, alors que tant d'autres flairaient le vent, cherchaient leur avantage, trahissaient.

C'est vers lui, c'est vers eux que la France débâillonnée jette son premier cri, c'est vers lui, c'est vers eux que, détachée du poteau, elle tend ses pauvres mains.

Elle se souvient : Vichy avait condamné cet homme à mort par contumace. Le jeune chef français qui, le premier en Europe, avait connu, défini les conditions de la guerre nouvelle, recevait l'anathème d'un vieux maréchal aveugle depuis vingt ans. La presse des valets français, au service du bourreau, le couvrait d'outrages et de moqueries. Mais nous, durant les soirs de ces hivers féroces, nous demeurions l'oreille collée au poste de radio, tandis que les pas de l'officier allemand ébranlaient le plafond au-dessus de nos têtes. Nous écoutions, les poings serrés, nous ne retenions pas nos larmes. Nous courions avertir ceux de la famille qui ne se trouvaient pas à l'écoute : « Le général de Gaulle va parler… Il parle ! » Au comble du triomphe nazi, tout ce qui s'accomplit aujourd'hui sous nos yeux était annoncé par cette voix prophétique.

À cause de lui, à cause de ceux qui ont eu part les premiers à sa solitude, nous n'avons pas perdu cœur […] lorsque, d'année en année, nous l'avons vu défendre la souveraineté de la France humiliée et vaincue, comme nous l'avons aimé pour cette dignité patiente et jamais en défaut ! […] En ce temps-là, sur la France matraquée, les maurrassiens de Vichy, en tremblant de joie, essayaient enfin leur système. Alors ce Français qui, par une prédestination mystérieuse, avait reçu en héritage le nom même de la vieille Gaule, essuya les crachats sur la face de la République outragée. […]

Ce dépôt que la France, trahie et livrée à ses ennemis, avait confié à de Gaulle, voici qu'il nous le rapporte aujourd'hui – non pas à nous seuls, bourgeois français, mais à tout ce peuple dont chaque parti, chaque classe a fourni son contingent d'otages et de martyrs. Sa mission est de maintenir, dans la France restaurée, une profonde communion à l'image de celle qui, dans les fosses communes, creusées par les bourreaux, confond les corps du communiste et du prêtre assassinés. […]

Ce soir, je resonge aux vers du vieil Hugo, dont j'ai souvent bercé ma peine, durant ces quatre années :

« O libre France enfin surgie !

… O robe blanche après l'orgie ! »

Cette robe blanche, Dieu veuille qu'elle demeure pareille à la tunique sans couture du Christ, qu'elle demeure indéchirable, qu'aucune force au monde ne dresse plus jamais les uns contre les autres ces Français que, dans la Résistance, le général de Gaulle a unis.

(François Mauriac, « Le premier des nôtres », *Le Figaro*, 25 août 1944)

Vocabulaire

par contumace   in absentia

Notes culturelles

la guerre nouvelle   les guerres motorisées que de Gaulle a prédites dans ses écrits entre les deux guerres mondiales

un vieux maréchal   se réfère au maréchal Philippe Pétain (1856–1951) qui a été chef de l'État du régime Vichy pendant l'Occupation allemande de la France 1940–1944. C'est Pétain qui a engagé la collaboration avec les forces allemandes.

les maurassiens de Vichy   les sympathisants de Charles Maurras (1868–1952), écrivain et journaliste d'extrême droite qui a soutenu le régime de Vichy

Activité 5.2.2

Écrivez une description de 100 mots environ dans laquelle vous exprimez votre admiration pour un personnage politique présent ou passé. Inspirez-vous du texte que vous venez d'étudier dans l'activité 5.2.1, et si vous le désirez, réutilisez quelques-uns des éléments employés par l'auteur.

Section 5.3 Écrire un portrait négatif

Au cours de cette section, vous allez examiner des aspects de description négative qui relèvent de la polémique.

> ### Point clé
> - Écrire un portrait négatif d'un personnage politique

Activité 5.3.1

A

Relisez « Robespierre vu par Mme de Staël » et « Le président qui s'est fait empereur » (voir l'activité 5.1.3). Faites la liste des critiques et notes satiriques de ces portraits qui révèlent l'opinion de leurs auteurs et qui nous invitent à les partager.

B

Vous allez transformer un portrait positif en portrait négatif. D'abord lisez le texte ci-dessous et notez les mots, les phrases et les éléments particuliers qui donnent à cette description son caractère positif.

> Ses mains fines, mais fortes, ne sont presque jamais immobiles, et son regard sincère et sûr, est aussi expressif que ses paroles : mais c'est grâce à ce comportement vif et actif, volubile mais sensible, voluptueux mais maîtrisé, que l'on comprend son humanité et aussi son humilité. C'est un individu pas comme les autres, qui se remarque tout de suite au-dessus de la foule – quelqu'un qui ne passera jamais inaperçu. D'une élégance et d'une gentillesse naturelles, et toujours prête à soutenir les autres, on a du mal à reconnaître ses défauts. Sa modestie est peut-être de trop pourtant – au cours d'un entretien à la télévision, on a découvert davantage de choses sur le journaliste qui l'interviewait que sur sa victime ! Mais cela peut être également une stratégie de défense psychologique, un moyen d'autoprotection pour ne pas trop se révéler aux autres. Alors, finalement, est-ce un défaut ? Non ! D'une pudeur obligatoire dans la vie politique, cette personne garde une certaine distance, pour mieux rendre service à un public qui s'habitue trop aux gestes grandioses et aux promesses creuses. Pas cette femme-là : elle tient parole. On lui fait confiance : elle nous protège. C'est pour cela qu'elle a été élue.

C

Maintenant transformez la description ci-dessus en portrait négatif, après avoir lu les corrigés des étapes précédentes.

Activité 5.3.2

Composez un portrait polémique de 100 mots maximum.

Pensez à un personnage politique contemporain (réel ou imaginaire) qui vous est vraiment antipathique. Cherchez à évoquer ce personnage du point de vue physique et moral, d'une manière aussi vivante que possible.

Vous pourrez commencer par dresser un portrait objectif, puis vous pourrez adapter les noms, les adjectifs et les adverbes, ou en ajouter de nouveaux, pour évoquer le mieux possible les caractéristiques déplaisantes de cet individu.

Section 5.4 Écrire un portrait structuré

C'est maintenant l'occasion de vous entraîner à rédiger la présentation écrite d'un personnage célèbre et ensuite de réviser et d'améliorer votre travail écrit.

Point clé

- Rédiger un portrait complet et structuré d'un personnage politique, comportant une introduction, un développement et une conclusion

Activité 5.4.1 _____

En vous servant des mots de l'encadré, trouvez-en un qui convient à chaque espace numéroté dans la petite biographie suivante. Une fois ce travail achevé, vous parviendrez peut-être à découvrir l'identité du sujet.

> envers • natale • fournir • ses • éclate • Gely • secouent • vie • goût • libertaire • le • mais • la • anarchiste • quitter • pour • souvent • hypocrisie • son • médecin • pauvres • et • l' • part • faveur

C'est dans le petit port méditerranéen de Sète qu'Elvira Dagrosa, épouse de Louis, donne naissance à un petit garçon le 22 octobre 1921.

Définitivement peu tourné vers les études, il quitte le collège en 1939 suite à une petite affaire de vol dans laquelle le jeune homme est impliqué sans y avoir vraiment participé. Âgé de 18 ans, il songe à (1) _____ Sète pour la capitale. Cet incident va lui en (2) _____ l'occasion. En attendant le départ, il travaille avec (3) _____ père. À la fin de l'année, la guerre (4) _____, mais Sète est encore bien loin des événements qui (5) _____ l'Europe.

À partir de 1946, pour gagner sa (6) _____, il écrit quelques articles dans une revue anarchiste, « Le (7) _____ ». Sensibles aux idées anarchistes, il exprimera toute sa vie (8) _____ idées d'une façon moins politique que ses contemporains (9) _____ plutôt en luttant, par ses chansons, contre une certaine (10) _____ de la société, à travers ses bêtes noires telle (11) _____ religion. Ces textes sont des prises de position en (12) _____ des laissés-pour-compte comme les prostituées. Son action (13) _____ se situe dans son irrévérence et sa désobéissance volontaires (14) _____ les conventions sociales pour lesquelles il n'a aucun (15) _____.

En novembre, atteint d'un cancer, il est opéré (16) _____ la troisième fois des reins. Un an plus tard, (17) _____ 29 octobre 1981, la mort, qu'il a si (18) _____ chantée, l'emporte dans le petit village de Saint-(19) _____-du-Fesc, près de Sète, chez son ami et (20) _____ Maurice Bousquet. Il est inhumé dans sa ville (21) _____ dans le cimetière du Py, surnommé le « cimetière des (22) _____ ».

Il reste un artiste de référence largement apprécié (23) _____ célébré dans le monde francophone. Créateur généreux et humaniste, (24) _____ homme à la célèbre moustache occupe une place à (25) _____ dans la mémoire de ses amis et admirateurs.

Activité 5.4.2 _____

Rédigez une description d'un personnage connu en 300 mots environ. Nous vous suggérons de structurer votre travail ainsi :

- une introduction où vous placerez ce personnage dans son contexte historique ;

- une évocation, physique et morale, du personnage ;

- une conclusion où vous résumerez son importance et son influence.

Vous pourrez vous inspirer de tous les textes cités, en réutilisant les moyens adoptés par leurs auteurs, et choisir selon les sentiments que vous inspire ce personnage, soit une présentation de type encyclopédique, soit quelque chose de plus subjectif. L'objectif est d'arriver à une présentation où vous mettez en évidence les caractéristiques positives et/ou négatives de cette personne.

Section 5.5 La technique du résumé

Au cours de cette section, vous allez travailler sur la technique du **résumé**.

Points clés

- Identifier les idées principales d'un texte et les distinguer du détail secondaire

- Reformuler des expressions et des phrases pour les rendre plus concises

- Résumer un passage écrit

Les caractéristiques d'un bon résumé sont les suivantes :

- Il donne, dans le même ordre, une version condensée mais fidèle des idées exprimées dans le texte.

- Il sélectionne les idées selon leur importance, gardant les principales et négligeant les secondaires.

- L'auteur du résumé se met à la place de l'auteur du texte initial (il n'utilise donc pas de formules telles que : « selon l'auteur... », « il démontre que... » que l'on trouvera par contre dans un compte-rendu).

- Il ne se contente pas de reprendre en les simplifiant les mots et phrases du texte. L'auteur du résumé s'exprime dans son propre langage, trouvant des équivalents aux expressions utilisées dans le texte original quand cela est possible ou nécessaire.

- C'est donc avant tout un exercice de compréhension de texte. Un bon résumé n'est pas le résultat d'un travail mécanique de réduction ; c'est une lecture et une analyse intelligentes qui transmettent fidèlement les idées du texte initial.

- Le résumé consiste donc à réduire un texte, en général entre un tiers et un quart de sa taille initiale.

Activité 5.5.1 _____

A

Au cours de cette activité, vous allez vous préparer à l'élaboration d'un résumé en vous entraînant à dégager le sens d'un texte.

Donnez-vous dix minutes pour lire l'ensemble d'« Une métamorphose architecturale », texte de style journalistique qui présente un projet gouvernemental à vocation culturelle. Décrivez alors en une phrase le thème abordé.

Une métamorphose architecturale

De la gare au musée, le parcours fut long, pittoresque et semé d'embûches. Construite à Paris à la fin du siècle dernier par l'architecte Victor Laloux, la gare d'Orsay avait été inaugurée le 14 juillet 1900 à l'occasion de l'Exposition universelle. Ordonnancée autour de structures métalliques masquées par une façade en pierre de taille, c'était la première gare conçue pour la traction électrique. Mais quarante ans plus tard, ses quais étaient devenus trop courts et progressivement la gare fut abandonnée.

Grand vaisseau déserté, la gare inspira pourtant les créateurs : en 1962 Orson Welles y tourna _Le Procès_ d'après le roman de Kafka et la compagnie de théâtre Renaud-Barrault y installa son chapiteau, en 1972. Son classement en 1978 comme monument historique la sauva de la démolition. Sans doute ce remarquable témoin d'une architecture de fer révolue avait-il bénéficié du tollé suscité par la destruction en 1971 des anciennes Halles de Paris.

Pour la direction des musées de France, qui cherchait un nouveau lieu d'accueil pour ses collections d'impressionnistes et postimpressionnistes terriblement à l'étroit au musée du Jeu de paume, Orsay, situé sur les bords de la Seine presque en face du Louvre, était le lieu idéal. En 1977, la décision de consacrer la gare et son hôtel de luxe à l'art de la deuxième moitié du XIXᵉ siècle et du début du XXᵉ fut prise par le président Valéry Giscard d'Estaing, confirmée en 1981 par son successeur, François Mitterrand. Une équipe de trois architectes français, rejoints par l'Italienne Gae Aulenti, chargée en 1981 de l'aménagement intérieur du musée et de tout son mobilier, s'attaqua alors à l'énorme gageure de la transformation de la gare en musée, inauguré en grande pompe le 1 décembre 1986.

Le saisissement fut grand lorsqu'apparut l'immense nef de Laloux dont la longueur – 138 mètres de long pour 32 mètres de haut et 40 mètres de large – dépasse celle de Notre-Dame de Paris. Ce sont ses dimensions exceptionnelles qui ont permis de transformer radicalement la conception du musée, comme l'expliqua Françoise Cachin, première femme à diriger un musée d'une telle importance [...]. Orsay serait « une plate-forme internationale des arts du XIXᵉ siècle », « un grand musée d'époque plutôt qu'un simple musée d'art. Sans le bâtiment, un dessein d'une telle ampleur n'aurait pas été conçu ».

Étonnante ampleur, en effet, car si la collection des impressionnistes qui a traversé la Seine demeure la reine du musée, irradiant sous la lumière zénithale au troisième étage, elle n'en représente numériquement qu'une petite partie. Pour constituer puis enrichir les collections d'Orsay, on a puisé dans les réserves du Louvre et de l'ancien musée d'Art moderne, dépoussiéré des œuvres oubliées depuis des décennies – y compris les « pompiers » tant décriés – et bénéficié de nombreuses donations ainsi que d'une active politique d'achats touchant tous les arts du XIXᵉ siècle, en France, en Europe et jusqu'aux États-Unis.

(Claudine Canetti, « Une métamorphose architecturale », *Label France*, no. 26, décembre 1996)

Le musée d'Orsay

Vocabulaire

les embûches (f.pl.)   les problèmes à éviter

du tollé   de la clameur de protestation

gageure (f.)   défi qui semble impossible

B

Choisissez dans la liste ci-dessous les cinq titres qui correspondraient, d'après vous, aux cinq paragraphes du texte :

- Des collections fabuleuses
- La transformation en musée
- Orsay au temps où c'était une gare
- Des expositions d'art contemporain
- Les années d'abandon
- Un nouveau musée pour le cinéma
- Un musée impressionnant

Nous passons maintenant aux mots du texte à résumer. Dans la mesure du possible, il faut éviter de reprendre le vocabulaire exact utilisé dans le texte d'origine. On entreprend alors un travail de **reformulation** où l'on cherche à exprimer les idées du texte par des mots différents afin d'en arriver à un texte plus concis.

Activité 5.5.2 _____

Dans cette activité, vous allez vous exercer à la substitution d'expressions dans le but d'une plus grande concision.

Réduisez les expressions et phrases suivantes au nombre de mots maximum indiqué entre parenthèses. (Pour cet exercice, nous adopterons la convention suivante : c'est-à-dire = un mot ; il s'appelle = deux mots ; il y a = trois mots.) Vous pouvez utiliser votre dictionnaire si nécessaire.

1   Des mots et des expressions :

   (a)   au fur et à mesure (en un mot)

   (b)   tout à fait (en un mot)

   (c)   en particulier (en un mot)

   (d)   afin de trouver une solution (en deux mots)

2   Des phrases :

   (a)   C'est dans les temps prévus que le musée a été inauguré. (entre cinq et huit mots)

   (b)   Ayant examiné toutes les options, la seule qui soit à la fois efficace et valable serait de prendre contact avec les services hospitaliers dans les plus brefs délais possibles. (environ quinze mots)

   (c)   Des changements de plus en plus marqués ont eu lieu dans la sphère de la génétique. (en moins de dix mots)

   (d)   Dans tous les cas qui ont été envisagés, il est possible de déduire qu'un seul

nous permet d'arriver à des conclusions précises. (en dix mots environ)

Activité 5.5.3 _____

A

Utilisez votre dictionnaire pour trouver un équivalent aux mots et aux expressions suivants employés par l'auteur d'« Une métamorphose architecturale ».

1	le parcours	6	lieu d'accueil
2	à l'occasion de	7	la transformation
3	ordonnancée	8	inauguré en grande pompe
4	remarquable		
5	révolue	9	un dessein

B

Utilisez votre dictionnaire pour trouver un équivalent aux phrases suivantes employées par l'auteur du texte.

1   De la gare au musée, le parcours fut long, pittoresque et semé d'embûches.

2   Son classement en 1978 comme monument historique la sauva de la démolition.

3   Orsay, situé sur les bords de la Seine presque en face du Louvre, était le lieu idéal.

4   Ce sont ses dimensions exceptionnelles qui ont permis de transformer radicalement la conception du musée.

5   Pour constituer puis enrichir les collections d'Orsay, on a puisé dans les réserves du Louvre et de l'ancien musée d'Art moderne.

_____

Dans les deux activités suivantes, vous allez travailler sur les mots et les expressions d'un texte pour en trouver l'idée générale. Puis vous appliquerez ce que vous avez appris au résumé d'un autre texte.

La pyramide du Louvre

Activité 5.5.4

A

Lisez le texte suivant, et identifiez les mots-clés du texte qui en indiquent l'idée principale.

De la tour Eiffel à la Pyramide

Aujourd'hui la pyramide du Louvre fait partie du paysage de Paris, au même titre que la tour Eiffel, comme le disait l'écrivain-voyageur Paul Morand « La France n'est vraiment connue à l'étranger que pour Napoléon, la Dame aux Camélias et la tour Eiffel ». Pourtant, au moment de leur construction, ces deux édifices furent violemment contestés.

Après la phase d'études, le projet de rénovation de l'entrée du Louvre est confié à l'architecte sino-américain Ieoh Ming Pei. Très vite chez Pei s'impose l'idée de donner de l'espace au Louvre par le sous-sol et d'excaver la cour Napoléon. Il conçoit une pyramide translucide pour éclairer ce sous-sol et donner au musée une entrée digne de lui.

Une fois connue du public, l'idée déclencha une vaste polémique avec les opposants traitant la pyramide de « scandale » ou « d'atrocité ». Dans le camp des « contre » on retrouve un ancien ministre de la Culture. Dans le camp des « pour » le président Mitterrand. Historiquement cette polémique rappelle celle qui accompagna la naissance de la tour Eiffel, un siècle plus tôt. À l'époque il s'agissait de réaliser un édifice exceptionnel pour l'Exposition universelle de 1889. En février 1887, pendant la construction, le journal *Le Temps* publia une « Protestation des artistes » signée des noms les plus célèbres de l'époque.

Pourquoi des édifices si contestés se sont si bien intégrés dans le paysage parisien ? Tout simplement parce qu'ils ont été plébiscités par le public et la tour Eiffel – qui à l'origine était conçue comme provisoire – connut une seconde vie grâce aux débuts de la radio, sa situation exceptionnelle servit aux premiers essais de transmission en 1905. Quant à la pyramide du Louvre elle symbolise désormais le musée et figure en bonne place sur les cartes postales et les couvertures des guides.

(Adapté de Louvre-Passion, « De la tour Eiffel à la pyramide », 4 juin 2005, http://louvre-passion.over-blog.com/article-2307190-6.html, dernier accès le 2 décembre 2008)

B

Mettez entre parenthèses les idées secondaires, exemples et énumérations.

C

Résumez le texte en une phrase seulement.

Activité 5.5.5

Résumez « Une métamorphose architecturale » (que vous avez lu dans l'activité 5.5.1), qui fait 492 mots, en 125 mots environ. Vous n'êtes pas obligé(e) de conserver le temps original du texte : vous pouvez utiliser le passé composé à la place du passé simple.

Dans cette unité, vous observerez la structure et les techniques d'écriture d'une histoire drôle, et vous aurez l'occasion d'écrire votre propre histoire drôle. Comme dans l'unité précédente, vous lirez des biographies, mais cette fois-ci sur des scientifiques renommés comme Louis Pasteur et Marie Curie. On vous demandera de réagir à des articles sur le progrès scientifique, et vous terminerez par une auto-évaluation de vos compétences et de ce que vous aurez appris dans ce cours. Une fois que vous avez complété l'unité, vous serez capable de :

- écrire une histoire à partir d'une anecdote ou d'une histoire drôle ;

- écrire un récit après avoir réfléchi sur sa focalisation ;

- écrire un texte biographique ;

- exprimer vos réactions sur un texte ;

- faire le bilan de votre apprentissage.

Unité 6

Section 6.1 Écrire une histoire à partir d'une anecdote

Au cours de l'unité 3, vous avez réfléchi sur la construction d'un conte. Dans cette section, nous allons d'abord nous pencher sur l'histoire drôle ou l'**anecdote** que l'on raconte souvent en conversation.

Points clés

- Mieux comprendre la structure générale d'une histoire drôle ou d'une anecdote

- Écrire un récit à partir d'une histoire drôle ou d'une anecdote

- Varier la focalisation d'un récit

On raconte les anecdotes pour mieux comprendre notre propre expérience et pour commenter le comportement imprévisible, amusant ou courageux des autres. Il faut donc que ce genre d'histoire ait « un sens » ou « une morale ». La personne qui écoute ou qui lit l'histoire doit comprendre pourquoi on la raconte.

Un chercheur américain, William Labov, a beaucoup réfléchi sur la structure-type de l'histoire orale et de l'anecdote. Après avoir étudié beaucoup d'histoires orales racontées par de jeunes Américains, il a proposé le schéma suivant :

- **Résumé** : une histoire orale commence souvent par une ou quelques phrases qui résument le récit.

- **Orientation** (ou mise en scène) : on explique la situation et les acteurs de l'histoire et on la situe dans le temps.

- **Action** : l'essentiel de l'histoire, on raconte la suite d'événements qui la composent.

- **Résolution** : termine l'action et résout la problématique du récit.

- **Évaluation** : la justification de l'histoire, on souligne ce qui est amusant, étonnant ou anormal, ce qui explique pourquoi on l'a racontée.

- **La coda** : le ou les phrase(s) qui ramènent le narrateur et son interlocuteur au présent. Souvent la coda annonce une généralité comme par exemple « C'est comme ça aujourd'hui, n'est-ce pas ? » ou « C'est à ne pas croire ! » ou la morale de l'histoire.

Comme vous allez vous en rendre compte, ce sont les parties « orientation », « action » et « résolution » qui forment l'essentiel d'une histoire. L'« évaluation » est souvent implicite dans l'histoire. Le « résumé » et la « coda » pour leur part servent à insérer une anecdote ou une histoire dans la conversation mais ne sont pas toujours présents dans une version écrite.

Activité 6.1.1

A

Lisez les deux histoires drôles « La charité bien ordonnée » et « À l'hôtel », et identifiez les phrases qui constituent les composantes suivantes : orientation, action, résolution.

Charité bien ordonnée

Un avare notoire vient de faire un don important à une œuvre de charité. Mais le lendemain, un homme sonne à sa porte :

« Merci, monsieur, pour le chèque que vous nous avez envoyé et qui nous permettra de faire beaucoup de bonnes œuvres. Cependant je dois vous signaler un petit oubli de votre part. Vous êtes distrait sans doute, car ce chèque, vous avez oublié de le signer... »

« Détrompez-vous », dit l'avare. « Ce n'est pas de la distraction. C'est qu'en matière de générosité, étant d'un naturel très modeste, je préfère rester anonyme... »

(D'après Hervé Nègre, *Dictionnaire des histoires drôles*, Paris, Fayard, 1973, p. 359)

À l'hôtel

J'arrive à l'hôtel. J'adore ça, arriver dans un hôtel surtout lorsque celui-ci est confortable et que dans la salle de bains se trouve un bric à brac de sachets et mini flacons de shampooing, sels de bains et autres futilités qui rendent la vie agréable... Bref, c'était le cas. Drapée, au sortir du bain moussant, dans une large serviette chaude et blanche, j'avise un des échantillons et m'en tartine largement le visage. Celui-ci réagit rapidement. Le produit agissait à n'en pas douter puisqu'un léger picotement se manifesta suivi d'une impression d'étirement qu'il fallait bien attribuer à l'efficacité du masque qui devait redonner à ma peau un éclat sans pareil...

Picoter, oui, étirer oui ! mais trop, non. Je décide donc de mettre fin à l'épreuve et par curiosité chausse mes lunettes pour lire la marque, décidée à la boycotter... La marque était sans doute excellente, mais pour des chaussures ! Vous l'aurez compris, je m'étais tartinée de cirage incolore.

(Carole Netter, « À l'hôtel », 2001, http ://clicnet.swarthmore.edu/rire/index.html, dernier accès le 1 octobre 2008)

B

Y a-t-il à votre avis une ou des phrases dans l'un ou l'autre texte qui représentent l'évaluation ?

C

Il n'y a ni résumé ni coda dans ces deux textes : pourquoi à votre avis ?

Activité 6.1.2 _____

Maintenant, vous allez passer à l'action en écrivant votre propre histoire dans laquelle vous mettrez en pratique la structure identifiée par Labov. Écrivez votre histoire à partir d'une histoire drôle ou d'une anecdote (entre 300 et 500 mots).

En préparant votre histoire, suivez la démarche suivante :

1   Imaginez le contexte de conversation dans lequel quelqu'un raconte l'anecdote à une autre personne. Réfléchissez aux personnages et à l'endroit où a lieu cette conversation.

2   Quel est « le sens » de l'anecdote ? Pourquoi la raconte-t-on ?

3   En faisant raconter l'anecdote par l'un de vos personnages, laissez-vous guider par la structure de Labov : résumé, mise en scène, action, résolution, évaluation et coda.

Avant de commencer, si vous le désirez, consultez le corrigé de cette activité, dans lequel, à titre d'exemple, nous vous proposons une histoire basée sur « Charité bien ordonnée ».

_____

Chaque histoire, chaque récit est raconté d'un point de vue car chaque personnage vit et évalue les évènements racontés d'une façon différente. C'est pourquoi la notion de **focalisation** est utile pour mieux comprendre la construction d'un récit.

Chaque récit a sa focalisation. La notion de focalisation concerne la présence explicite ou cachée d'un narrateur et son point de vue sur l'histoire. Par exemple, dans le texte « Charité bien ordonnée », l'histoire est racontée à la troisième personne ; le narrateur n'est pas présent dans l'histoire et on n'est pas conscient de sa voix. Cependant ce narrateur absent a tout de même un point de vue. Ce style est caractéristique des grands romans du XIXe siècle (de Charles Dickens, de Balzac, etc.). Dans le cas de « À l'hôtel », le narrateur est bien présent dans l'histoire puisque c'est le personnage principal. Un narrateur présent peut aussi raconter une histoire dont il est témoin plutôt qu'acteur. C'est le rôle du Dr Watson dans les célèbres romans dont le personnage principal est Sherlock Holmes. Il y a beaucoup de variations possibles...

L'écrivain français Raymond Queneau a choisi d'exploiter de façon humoristique ce principe de variation infinie dans la narration des mêmes événements. Son ouvrage célèbre *Exercices de Style*, paru en 1947, raconte 99 fois la même histoire – histoire d'ailleurs qui est d'une banalité comique, comme vous allez pouvoir vous en rendre compte.

En lisant trois extraits d'*Exercices de Style*, vous constaterez la transformation de notes prises sur le vif en un récit plus formel mais assez neutre puis, après un changement de focalisation, à un récit très subjectif.

Activité 6.1.3

A

Lisez les deux extraits d'*Exercices de Style* ci-dessous. Quelles différences stylistiques notez-vous entre « Notations » et « Récit » ? Réfléchissez par exemple à la structure des phrases, au temps des verbes et au choix du vocabulaire.

Notations

Dans l'S, à une heure d'affluence. Un type dans les vingt-six ans, chapeau mou avec cordon remplaçant le ruban, cou trop long comme si on lui avait tiré dessus. Les gens descendent. Le type en question s'irrite contre un voisin. Il lui reproche de le bousculer chaque fois qu'il passe quelqu'un. Ton pleurnichard qui se veut méchant. Comme il voit une place libre, se précipite dessus.

Deux heures plus tard, je le rencontre Cour de Rome, devant la gare Saint-Lazare. Il est avec un camarade qui lui dit : « Tu devrais faire mettre un bouton supplémentaire à ton pardessus. » Il lui montre où (à l'échancrure) et pourquoi.

Récit

Un jour vers midi du côté du parc Monceau, sur la plate-forme arrière d'un autobus à peu près complet de la ligne S (aujourd'hui 84), j'aperçus un personnage au cou fort long qui portait un feutre mou entouré d'un galon tressé au lieu de ruban. Cet individu interpella tout à coup son voisin en prétendant que celui-ci faisait exprès de lui marcher sur les pieds chaque fois qu'il montait ou descendait des voyageurs. Il abandonna d'ailleurs rapidement la discussion pour se jeter sur une place devenue libre.

Deux heures plus tard, je le revis devant la gare Saint-Lazare en grande conversation avec un ami qui lui conseillait de diminuer l'échancrure de son pardessus en en faisant remonter le bouton supérieur par quelque tailleur compétent.

(Raymond Queneau, *Exercices de Style*, Paris, Éditions Gallimard, 1947, pp. 7 et 24)

Vocabulaire

l'échancrure la partie d'un vêtement autour du cou

B

Lisez maintenant le troisième extrait, « Le côté subjectif ». Expliquez la différence de focalisation entre « Le côté subjectif » et « Récit ».

Le côté subjectif

Je n'étais pas mécontent de ma vêture, ce jour-d'hui. J'inaugurais un nouveau chapeau, assez coquin, et un pardessus dont je pensais grand bien. Rencontré X devant la gare Saint-Lazare qui tente de gâcher mon plaisir en essayant de me démontrer que ce pardessus est trop échancré et que j'y devrais rajouter un bouton supplémentaire. Il n'a tout de même pas osé s'attaquer à mon couvre-chef.

Un peu auparavant, rembarré de belle façon une sorte de goujat qui faisait exprès de me brutaliser chaque fois qu'il passait du monde, à la descente ou à la montée. Cela se passait dans un de ces immondes autobi qui s'emplissait de *populus* précisément aux heures où je dois consentir à les utiliser.

(Raymond Queneau, *Exercices de Style*, Paris, Éditions Gallimard, 1947, p. 27)

Vocabulaire

couvre-chef (m.) chapeau

rembarré repoussé brutalement

goujat (m.) homme indélicat, sans manières

C

Quelle impression vous faites-vous du narrateur de la variante « Le côté subjectif » ?

D

Dans « Le côté subjectif », identifiez une phrase qui sert de résumé. Est-ce qu'il y a une coda ?

Activité 6.1.4 _____

Dans le corrigé de l'activité 6.1.2, Julien est un personnage qui raconte une histoire. La narration se fait au second degré, c'est-à-dire que le narrateur au premier degré (celui qui a écrit les mots sur le papier) fait parler un de ses personnages et lui fait raconter une histoire dont il est le héros. On pourrait imaginer une histoire à la narration au premier degré commençant comme ceci :

> Jean-Marie Dupont avait horreur de dépenser son argent. Par tous les moyens il essayait d'économiser le capital qu'il était parvenu à se faire au cours de quarante années de parcimonie. Lorsqu'il rencontrait des amis dans la rue, il refusait toujours d'aller au café avec eux, prétextant que sa femme voyait ce genre d'activité d'un mauvais œil. En réalité, il avait peur de devoir payer sa tournée après avoir bu l'argent des autres. Un jour, le maire du village est venu chez lui faire une collecte pour une société caritative. Il n'a pas osé refuser d'apporter sa contribution à une si bonne cause et a donné un chèque au maire...

Reprenez une histoire que vous avez écrite et retravaillez-la pour lui donner un nouveau point de vue narratif.

Vous pouvez, par exemple, changer la focalisation de l'histoire que vous avez rédigée dans l'activité 6.1.2.

_____

Au cours de l'activité suivante, vous allez mettre vos talents d'auteur encore une fois à l'épreuve. C'est une occasion de mettre en pratique les différentes approches envers l'art du récit que vous avez étudiées jusqu'ici. Cette fois, il s'agit d'écrire une histoire en vous servant d'objets comme source d'inspiration. À vous de choisir sa focalisation.

Activité 6.1.5 _____

Prenez au moins trois objets trouvés chez vous, dans la cuisine, dans le salon ou ailleurs, et écrivez une petite histoire dans laquelle ils figurent, soit comme personnages, soit comme accessoires, soit comme faisant partie du décor. Si vous voulez, vous pouvez découper des photos d'objets et/ou de personnes dans un catalogue pour faire ce travail. Rangez ces photos ou ces objets dans un ordre de votre choix et racontez votre histoire en 300 à 400 mots en suivant cet ordre.

Si vous en avez besoin, jetez un coup d'œil rapide au corrigé, puis lancez-vous dans votre travail de création.

Section 6.2 Écrire un texte biographique

Dans cette section, vous allez reprendre le travail sur le texte biographique, entamé dans l'unité 5, cette fois à partir de deux textes qui évoquent la passion, le dévouement et l'immense énergie qui motivent les grandes découvertes scientifiques.

Point clé

- Écrire la biographie d'un génie scientifique

Dans l'activité suivante, vous allez lire un texte qui démontre comment on peut faire la présentation d'une vie et de ses événements clés dans un contexte historique. Il est écrit de manière simple et sans embellissements subjectifs. Néanmoins, il montre l'importance mondiale de Louis Pasteur (1822–1895) et ses qualités personnelles.

Vous allez essayer d'identifier vous-même les procédés stylistiques dont l'auteur s'est servi pour écrire ce texte simple, clair et concis.

Activité 6.2.1

A

Lisez « Louis Pasteur et l'institut qui porte son nom ». Ce texte est paru en 1995, « année Pasteur » où l'on a commémoré le centenaire de la mort du grand scientifique.

L'auteur utilise différents procédés pour écrire un texte clair et succinct qui pourrait avoir sa place dans une encyclopédie. Complétez le tableau à la page 95 en utilisant des exemples tirés du texte.

Louis Pasteur et l'institut qui porte son nom

« Deux lois contraires semblent aujourd'hui en lutte : une loi de sang et de mort qui oblige les peuples à être toujours prêts pour le champ de bataille, et une loi de paix, de travail, de salut, qui ne songe qu'à délivrer l'homme des fléaux qui l'assiègent », constate Pasteur, en 1888, dans le discours d'inauguration de l'institut portant son nom. Soucieux d'améliorer la condition de ses semblables, cet humaniste avait déjà choisi sa voie, stimulé par un père tanneur, dont il loue l'influence : « Regarder en haut, apprendre au-delà, chercher à s'élever toujours, voilà ce que tu m'as enseigné. »

Jurassien, Pasteur naît à Dole, le 27 décembre 1822, puis passe sa jeunesse à Arbois. Écartant un penchant pour le dessin, il se tourne vers la science et intègre l'École normale supérieure. Intrigué par la note d'un physicien, il se lance dans l'étude des cristaux et découvre ce qui distingue radicalement le monde minéral et le monde organique. Ayant associé cristallographie, chimie et optique, il ouvre la voie de la stéréochimie. Pasteur se penche alors sur les fermentations. Grâce à ses récents travaux, il démontre que toutes sont dues à l'existence d'un micro-organisme spécifique, qui peut être étudié s'il est cultivé dans un milieu approprié et stérile, et établit tout bonnement les fondements de la microbiologie. Reste une énigme : d'où viennent donc ces ferments ? C'en est fait de la séculaire théorie de la génération spontanée.

La mort de cette « chimère » ne lui vaut d'ailleurs pas que des admirateurs… sa thèse des germes, toujours prêts à se développer, n'étant pas du goût de tous. Le savant découvre ainsi la vie sans air. S'attaquant aux ferments parasites du vin, il met au point un procédé de conservation par chauffage des liquides altérables (bière, lait) : la pasteurisation. Mais d'autres travaux l'attendent : une maladie des vers à soie ravage la sériciculture de plusieurs pays. Son étude le mène à résoudre scientifiquement le mode de transmission des maladies : hérédité et contagion. Chaque affection a donc son microbe.

Autre nouveauté : on peut prévenir les infections grâce à l'asepsie qui révolutionne chirurgie et obstétrique. Tout s'enchaîne dans une parfaite logique. Acharné, Pasteur découvre une série de bactéries comme le staphylocoque, le streptocoque, le pneumocoque, puis la méthode d'atténuation de la virulence des germes, et enfin, crée divers vaccins animaliers.

L'immunologie est née. Pasteur s'attaque alors à la rage. Dans son laboratoire, en 1885, il tente un traitement et sauve un jeune garçon. Les malades affluent du monde entier. Le cabinet est trop exigu. Aussi, en 1886, à l'Académie des sciences, Pasteur déclare-t-il : « La prophylaxie de la rage est fondée. Il y a lieu de créer un établissement vaccinal contre la rage. » Ainsi soit-il. Mais ce sera aussi un « centre de recherche pour les maladies infectieuses » et « d'enseignement pour les études qui relèvent de la microbie ». En 1888, l'institut Pasteur est inauguré à Paris. Le savant en a rédigé les statuts avec le souci de garantir aux chercheurs de bonnes conditions matérielles, la liberté de pensée et d'action. Une souscription publique internationale génère un tourbillon de générosité et bientôt se dresse la façade Louis XIII de deux bâtiments reliés par une galerie, en pierre de taille, meulière et brique.

« Il n'est pas une pierre qui ne soit le signe d'une généreuse pensée », s'émeut Pasteur. Et ce n'est qu'un début. En 1894, trois chercheurs, dont Émile Roux, élaborent la sérothérapie antidiphtérique. Retombées immédiates. *Le Figaro* lance une nouvelle souscription. Achat de chevaux producteurs d'immunosérums, construction d'écuries.

Un mécène propose de construire et d'entretenir un hôpital voué au traitement des maladies infectieuses. Pasteur ne le verra pas : il meurt le 28 septembre 1895. Avec la création du premier institut outre-mer en 1891 à Saigon, il aura néanmoins vu ses méthodes gagner le monde.

(Florence Raynal, « De découverte en découverte », *France Diplomatie*, no. 19, 1995)

Vocabulaire

la stéréochimie   l'étude de l'arrangement spatial des atomes

c'en est fait de   c'était la fin de

la séculaire théorie de la génération spontanée   théorie selon laquelle certains organismes vivants, surtout des micro-organismes, apparaissaient spontanément à partir de substances inorganiques

la sériciculture   la production de soie

l'asepsie (f.)   ensemble des mesures visant à éviter la contamination microbiologique

la rage   maladie infectieuse virale transmise à l'homme par la morsure de certains animaux

trop exigu   trop petit

la prophylaxie   mesures prises pour prévenir une maladie

meulière   sorte de pierre caractérisée par son apparence trouée

la sérothérapie   traitement thérapeutique par le sérum sanguin permettant l'immunisation contre certaines maladies

Note culturelle

l'institut Pasteur   Père de la microbiologie et de l'immunologie, Louis Pasteur est aussi le fondateur d'un institut implanté dans le monde entier. Ses missions concernent la recherche biomédicale, la santé publique et l'enseignement. Aujourd'hui, plus de cent ans après la mort de Pasteur, ses disciples continuent son combat pour le progrès et le mieux-être de l'humanité.

Procédé utilisé	Exemple
Utilisation du présent de l'indicatif	
Phrases courtes	
Phrases concises grâce aux éléments placés en tête de phrase	

B

Cette biographie n'est pas seulement une suite d'informations simples, claires et concises ; l'auteur y met aussi en valeur le côté humain de l'aventure de Pasteur. Relisez le texte et relevez les verbes, les noms, les images qui illustrent, selon vous, l'enthousiasme et le dévouement du chercheur.

Dans l'activité suivante, vous allez à nouveau lire un texte biographique pour rechercher les éléments qui lui donnent son caractère particulier. Ce texte décrit le travail épuisant, dans des conditions primitives, qui permit à Marie Curie (1867–1934) d'isoler le radium, élément radioactif dont elle et ses collaborateurs, notamment son mari Pierre, avaient soupçonné l'existence – étape déterminante dans l'évolution de la physique atomique et de la radiologie.

Activité 6.2.2 _____

Lisez « À la recherche d'un nouvel élément ». En tenant compte des aspects qui mettent en valeur le côté humain de cette biographie, répondez aux questions qui suivent.

À la recherche d'un nouvel élément

« Cela tenait de l'écurie et du cellier à pommes de terre, et si je n'avais pas vu la table de travail avec son matériel de chimie, j'aurais cru à un canular. »

Ainsi un chimiste allemand, intéressé par les travaux des Curie, décrit-il le lieu dans lequel le radium sera isolé, son poids atomique fixé, quarante-huit mois après le jour où Marie a émis l'hypothèse de son existence.

Selon Jean Perrin, « Pierre Curie, plus physicien peut-être, s'intéressait surtout aux propriétés mêmes du rayonnement. Il croyait moins à la nécessité de faire l'effort nécessaire pour isoler la nouvelle substance et en obtenir « un flacon », comme disent les chimistes. Cet effort a été certainement dû à la volonté opiniâtre et persistante de Mme Curie. Et il n'est pas exagéré de dire aujourd'hui que là est la pierre angulaire sur laquelle repose l'édifice entier de la radioactivité. » [...]

Le radium se trouve, comme l'uranium, dans la pechblende, mais en quantité infinitésimale. Obtenir quelques milligrammes de radium assez pur pour pouvoir établir son poids atomique exige que des tonnes de pechblende soient traitées. [...]

En face de la petite pièce où Marie a travaillé jusque-là, de l'autre côté, se trouve un hangar désaffecté qui a servi autrefois de salle de dissection aux étudiants de l'École de médecine.

La pluie traverse le toit vitré lorsque le soleil ne transforme pas le hangar en serre. Le sol est en bitume. C'est là que les Curie vont installer quelques vieilles tables équipées de fours et de brûleurs à gaz, trop heureux que le nouveau directeur de l'École[1], avec lequel Pierre s'entend mal, les y autorise.

Ce que Marie va y faire, le souvenir en est resté gravé dans la mémoire de tous ceux qui l'ont vue.

Elle puise dans un sac, prend la pechblende par vingtaines de kilos, la verse dans une bassine de fonte, le plus qu'elle peut soulever. Puis elle met la bassine sur le feu, dissout, filtre, précipite, recueille, dissout encore, obtient une solution, la transvase, la mesure. Et recommence.

« Je passais parfois la journée entière à remuer une masse en ébullition avec une tige de fer presque aussi grande que moi », écrit-elle. « Le soir, j'étais brisée de fatigue... C'était un travail exténuant que de transporter les récipients, de transvaser les liquides et de remuer, pendant des heures, la matière en ébullition, dans une bassine en fonte. »

L'opération de purification exige l'utilisation de sulfure d'hydrogène. C'est un gaz toxique, et il n'y a pas de hotte d'extraction dans le hangar.

Alors, quand le temps le permet, Marie transporte ses bassines dans la cour. Sinon, il faut laisser toutes les fenêtres du hangar ouvertes.

Qu'un grain de poussière, une particule de charbon tombent dans l'un des bols où les solutions purifiées cristallisent, et ce sont des jours de travail perdus. [...]

Un chimiste, Georges Jaffé, qui fut parmi les privilégiés à franchir parfois l'enceinte du hangar-laboratoire, rapporte qu'il eut le sentiment d'assister à la célébration d'un culte dans un lieu sacré.

Marie dit la même chose, un peu autrement : « Dans notre hangar si pauvre régnait une grande tranquillité [...]. Nous vivions dans une préoccupation unique, comme dans un rêve. »

Et elle ajoute : « Il nous arrivait de revenir le soir après dîner pour jeter un coup d'œil sur notre domaine. Nos précieux produits pour lesquels nous n'avions pas d'abri étaient disposés sur les tables et sur des planches ; de tous côtés on apercevait leurs silhouettes faiblement lumineuses, et ces lueurs qui semblaient suspendues dans l'obscurité nous étaient une cause toujours nouvelle d'émotion et de ravissement. »

Les précieux produits sont aussi une cause d'inexplicable lassitude. Pierre commence à souffrir de douleurs dans les jambes que le médecin de famille attribue à des rhumatismes, entretenus par l'humidité du hangar.

---

[1] L'École de physique et de chimie industrielles à Paris.

Il le met au régime, lui interdit la viande et le vin rouge. Marie devient diaphane. Tuberculose ? Les analyses auxquelles elle se soumet, sur l'insistance de son beau-père, sont négatives. L'un et l'autre sombrent, par période, dans une sorte de léthargie.

[L'été de 1900 arrive.]

Une température qui atteint à Paris 37°9 rend le hangar intenable sous son toit vitré. Marie, impavide, n'a pas bronché et le 23 juillet, elle a cru toucher au but.

« Radium pur dans sa capsule » écrit-elle sur le carnet noir.

Le 27, elle note le poids d'un atome de radium : 174.

Sur la page suivante figure une série de calculs. Puis : « C'est impossible. »

C'est impossible en effet. Il ne lui reste plus qu'à recommencer toutes les opérations qu'elle a menées pendant près de deux ans, sur huit tonnes de pechblende.

[En 1902, Marie Curie réussit à établir le poids atomique du radium.]

Le jour où Marie apporte à Eugène Demarçay un échantillon d'un décigramme environ de sels de radium purifié pour s'assurer qu'il ne contient plus qu'une quantité négligeable de substance étrangère, elle a procédé à plusieurs milliers de cristallisations et elle a perdu sept kilos en quatre ans.

Mais ce n'est pas son poids qui l'intéresse. C'est celui qu'elle va écrire, à la date du 28 mars 1902, sur le carnet noir : Ra = 225,3. Le poids d'un atome de radium.

C'est la fin d'une aventure sans précédent connu dans l'histoire de la science. [...] Quelques jours plus tard [...] on ne parle plus dans les salons parisiens que du radium. Parce que le radium guérit le cancer.

L'Académie des sciences ouvre aux Curie un crédit de 20 000 F « pour l'extraction de matières radioactives ».

Une thérapeutique, une industrie et une légende vont naître.

(Françoise Giroud, *Une femme honorable*, Paris, Fayard, 1981)

Vocabulaire

la pechblende   minerai contenant de l'uranium et d'autres éléments radioactifs tels que le polonium et le radium

Notes culturelles

Jean Perrin (1870–1942)   physicien et professeur à la Sorbonne. Il a reçu le prix Nobel de Physique en 1926.

Eugène Demarçay (1852–1904)   physicien et collègue de Pierre Curie. Il a isolé l'europium en 1901.

1   Comment l'auteur parvient-elle à nous faire sentir l'intérêt, l'importance et l'aspect dramatique de la vie de Marie Curie ?

2   Par quels moyens cette biographie nous impressionne-t-elle ? Donnez autant d'exemples précis que vous pourrez.

Activité 6.2.3 _____

En vous servant des textes que vous venez d'étudier, rédigez un texte de 400 à 500 mots, dans lequel vous présenterez la vie et la carrière d'un scientifique (homme ou femme). Cela pourra être un personnage réel, un génie scientifique génial inconnu, ou un personnage fictif que vous inventerez. Dans votre rédaction, si vous le désirez, vous pourriez utiliser les procédés étudiés au cours d'activités précédentes, par exemple :

- présent historique ;

- participes passés et présents ;

- structures nominales (où un nom tient lieu de verbe) ;

- phrases courtes, ou éléments subordonnés placés en tête de phrase ;

- déclarations qui résument la signification et la portée d'une découverte ;

- images créés par les noms, verbes et adjectifs expressifs ;

- faits frappants ou émouvants, présentés d'une manière simple et sans commentaire, déclarations dramatiques ;

- citations significatives.

Section 6.3 Exprimer ses réactions sur un texte

Dans cette section, vous aurez l'occasion d'exprimer une opinion personnelle sur un sujet scientifique et de comparer et évaluer deux découvertes importantes.

Point clé

- Exprimer vos réactions à un texte

Le texte que vous allez lire a été choisi parce qu'il nous montre que la paralysie générale n'est pas un obstacle à une vie créative si l'on a à sa disposition certains outils de communication. Il s'agit ici d'un texte purement scientifique, dénué complètement d'émotions et pourtant il évoque des développements scientifiques qui peuvent à la fois émerveiller et effrayer...

Activité 6.3.1 _____

Lisez d'abord « La force des neurones », puis donnez votre opinion, en 200 mots maximum, sur ce type d'innovation scientifique. Selon votre point de vue, est-ce effrayant ou merveilleux ?

La force des neurones

Privé de la parole et complètement paralysé à la suite d'un accident vasculaire, le journaliste Jean-Dominique Bauby réussit à « dicter », avant de décéder en mars 1997, un livre, *Le Scaphandre et le Papillon*, en clignant d'une paupière. Après les yeux, le cerveau pourrait bien être le nouveau recours des personnes handicapées pour communiquer et retrouver une partie de leurs mouvements.

La piste suivie depuis plus de dix ans par les chercheurs consiste à utiliser les ondes cérébrales pour communiquer avec l'ordinateur. Menée en particulier par Edward Taub, de l'université de l'Alabama à Birmingham (États-Unis), et par Niels Birbaumer, de l'université de Tubingen en Allemagne, cette expérience peut permettre à des personnes paralysées d'écrire un texte ou de répondre à un courrier électronique. Il y a deux ans, une première tentative avait permis à deux patients d'écrire un texte grâce à des électrodes implantées dans leur cerveau. La technique développée par Taub et Niels comporte moins de risques car les électrodes ne sont plus disposées dans le cerveau mais sur le dessus du crâne. Elles fonctionnent avec un appareil qui mesure l'intensité électrique des ondes émises par le cerveau.

L'idée est d'aider les patients à développer des capacités cérébrales, leur permettant d'interagir avec l'ordinateur. Cet entraînement vise à faire bouger de haut en bas un curseur sur l'écran. Une fois que le patient maîtrise le mouvement, il peut sélectionner les lettres de l'alphabet et composer son texte. Les récentes expériences ont montré qu'il fallait environ 80 secondes pour sélectionner une lettre. Pour faciliter le travail des patients, les scientifiques cherchent à développer des systèmes qui permettraient de faire apparaître des mots sur l'écran dès les premières lettres tapées.

C'est encore au moyen d'électrodes qu'on permet aux parkinsoniens et aux autres malades de tremblements chroniques de retrouver une vie presque normale. L'opération se pratique depuis une douzaine d'années à Grenoble, sous la direction du professeur Benabid, chercheur à l'Inserm. Elle consiste à placer des électrodes dans des zones particulières du cerveau. Reliées à un stimulateur de type pacemaker, elles permettent de supprimer les mouvements incontrôlés et la rigidité des muscles qui leur est associée. C'est sous le contrôle permanent d'un appareil d'imagerie à résonance magnétique que les neurochirurgiens et électrophysiologistes explorent depuis le sommet du crâne le cerveau du patient. Quand l'électrode a trouvé une cible, les neurones sont stimulés. Si l'expérience se révèle concluante, les médecins placent à cet endroit une électrode fixe. Le stimulateur, placé sous l'omoplate, est programmable. On peut donc régler sa fréquence en fonction du patient. L'appareil est conçu pour fonctionner sept ans.

(Guillaume Fraissard et Corinne Manoury, « La force des neurones », *Le Monde interactif*, 17 février 1999)

Vocabulaire

le scaphandre   combinaison isolante employée par les plongeurs et les astronautes

Note culturelle

l'Inserm   l'Institut national de la santé et de la recherche médicale

Il arrive souvent qu'au début des recherches qui mènent à une innovation scientifique de grande importance le public – et même les experts – se montrent très sceptiques. Dans l'activité suivante, vous allez lire un extrait d'un ouvrage de vulgarisation scientifique paru en 1891. Cet extrait est consacré aux « appareils volateurs plus lourds que l'air », les précurseurs de l'avion.

Activité 6.3.2

A

Lisez « Les appareils volateurs plus lourds que l'air ». Comment l'auteur évalue-t-il les différentes tentatives de création d'« appareils volateurs » qu'il passe en revue ?

Les appareils volateurs plus lourds que l'air

Beaucoup d'efforts ont été tentés dans le but de créer des machines volantes plus pesantes que l'air. [...]

Disons d'abord, pour éclairer le sujet, que les aviateurs, c'est-à-dire les partisans du plus lourd que l'air, se partagent en deux camps : ceux qui préconisent l'hélice comme moyen d'ascension verticale, et ceux qui emploient des appareils descendant d'un lieu élevé suivant des plans inclinés, et qu'on nomme aéroplanes.

Les premiers promoteurs de l'hélice avec les appareils plus lourds que l'air furent MM. Nadar, de la Landelle et Ponton d'Amécourt, dont nous avons rapporté les tentatives, faites en 1867, dans les Merveilles de la science. Ponton d'Amécourt avait fait construire par Froment, en 1863, un hélicoptère à vapeur, qui n'avait pu fonctionner, mais qui, perfectionné, donna naissance aux appareils de MM. Pomier et de la Pauze (1870), Achenbach (1874), Hérard (1875), Dieuaide (1877), Melikoff et Castel (1877).

L'appareil de Pomier était poussé par un moteur à poudre, d'une combinaison particulière, qui actionnait une hélice tournant obliquement, pour monter en diagonale.

L'appareil d'Achenbach, muni d'une

machine et d'une chaudière à vapeur, actionnait une grande hélice à quatre ailes. Des deux côtés de cette hélice se développait une palette de bois qui, d'après l'inventeur, devait fournir à l'hélice un point d'appui aérien plus efficace, et qui était munie, à l'arrière, d'un gouvernail. L'axe de cette pièce était percé d'une ouverture, où se logeait la chaudière et où prenaient place les voyageurs aériens. Une autre hélice, plus petite, était placée au-dessus de la chaudière, et flanquée d'une autre pièce de bois, destinée à servir de *taille-vent*. Cette seconde hélice était mue par la vapeur qui sortait de la chaudière par un tuyau vertical. Tout cela est assez hétéroclyte. [...]

M. Melikoff emploie une autre machine, dans laquelle l'hélice est disposée de manière à se transformer au besoin en parachute.

En 1878, M. Castel a construit un hélicoptère mû par l'air comprimé. Des engrenages communiquent le mouvement à quatre paires d'hélices superposées et placées côte à côte, les unes tournant en sens contraire des autres. L'appareil pour la compression de l'air restait sur le sol, et un tube de caoutchouc envoyait l'air comprimé.

Un accident mit fin aux essais de ce joujou aérien.

Pendant la même année, un physicien de Milan, le professeur Forlarini, exécutait un appareil plus lourd que l'air (hélicoptère) supérieur à tous ceux qui l'ont précédé, car c'est le seul appareil de ce genre qui se serait élevé de terre en soulevant avec lui son moteur et sa machine à vapeur. [...]

Il paraît que les expériences du professeur de Milan ne furent pas défavorables. Cependant l'inventeur ne les a pas poursuivies.

Nous arrivons à la seconde catégorie d'appareils volateurs, ceux qui procèdent par impulsion d'un mécanisme tombant le long d'un plan incliné et tendant à imiter le vol de l'oiseau.

C'est vers 1871 que l'inventeur de ce système, M. Penaud, fit connaître le parti que l'on pouvait tirer, pour l'aviation, de la force assez considérable résidant dans une tresse de caoutchouc fortement tordue, et que l'on laisse se dérouler, par son élasticité. Pendant plusieurs années M. Penaud, poursuivant ses études, a fait connaître plusieurs dispositions d'oiseaux mécaniques, volant avec une certaine rapidité. [...]

Mais c'est le docteur Hureau (de Villeneuve), président de la Société de navigation aérienne, qui s'est le plus occupé de construire des appareils volateurs, destinés à exécuter les mouvements de l'oiseau dans l'air. M. Hureau (de Villeneuve) se consacre avec un zèle sans pareil à la propagation de l'aviation. Le journal l'Aéronaute, qui se publie sous sa direction, est entièrement affecté à ce genre d'études. L'oiseau mécanique qu'il a construit a l'aspect d'une chauve-souris, et grâce à la simple détorsion d'un boyau de caoutchouc, il fend l'air avec une vitesse remarquable, c'est-à-dire en parcourant 9 mètres par seconde. [...]

C'est, pour ainsi dire, par acquit de conscience, et pour ne pas paraître dédaigner des travaux conçus dans un très honorable but, que nous avons consigné ici les tentatives diverses des promoteurs du *plus lourd que l'air*. Ce qui prouve leur peu de valeur, c'est que rien n'est resté, du moins jusqu'à ce moment, des nombreuses expériences faites dans cette direction, depuis 1870, car jamais le public n'a été mis en mesure d'en connaître l'existence. La raison en est, ainsi que nous l'avons dit au début de ce chapitre, qu'il faudrait un moteur marchant avec une vitesse inouïe, pour élever en l'air, y maintenir et y diriger un appareil lourd. Or, ce moteur merveilleux, ce phénix de la mécanique, n'a jamais été vu que dans les aspirations et les rêves des partisans du plus lourd que l'air.

Le système du plus lourd que l'air est donc aujourd'hui en défaveur, et nous ajouterons en juste défaveur. Est-il raisonnable de rejeter, sans nécessité, le merveilleux moyen que nous offre l'art des Montgolfier de nous élever de terre et de flotter dans les airs, sans dépense, ni appareil compliqué, grâce au seul emmagasinement d'un gaz providentiellement léger : le gaz hydrogène ?

(Louis Figuier, *Merveilles de la science ou description populaire des inventions modernes*, Paris, Furne, Jouvet et Cie, 1891)

Vocabulaire

mû participe passé du verbe « mouvoir » = bouger, déplacer

B

Quelles raisons l'auteur donne-t-il pour justifier son évaluation ?

Activité 6.3.3 _____

Relisez les deux textes « À la recherche d'un nouvel élément » (que vous avez rencontré dans l'activité 6.2.2) et « Les appareils volateurs plus lourds que l'air ».

Écrivez un texte de 300 mots en réponse à la question suivante : quelle est celle de ces deux découvertes qui a le plus changé l'humanité ? N'oubliez pas de vous servir de tout ce que vous avez étudié et de tout ce que vous avez appris au cours des sections précédentes.

Section 6.4 Faire le bilan du cours

Cette dernière section va vous donner l'occasion de réfléchir à ce que vous avez appris dans ce cours.

Points clés

- Revoir un de vos textes en appliquant les conseils contenus dans cette unité et les précédentes

- Faire le bilan de ce que vous avez appris dans le Cours d'écriture

Activité 6.4.1 _____

Relisez le texte que vous venez d'écrire pour l'activité 6.3.3 et améliorez-le encore en appliquant les conseils donnés dans le Cours d'écriture.

Activité 6.4.2 _____

Cette dernière activité va vous donner l'occasion d'écrire une rédaction qui vous servira de bilan personnel de tout ce que vous avez appris depuis l'activité 1.1.1.

1   Faites une liste des éléments principaux du livre Cours d'écriture qui vous sont restés à l'esprit.

2   À l'aide de notes ou de mots-clés, dites ce que vous pensez avoir appris dans le Cours d'écriture et dans quelle mesure votre français écrit s'est amélioré.

Corrigés

Unité 1

Activité 1.1.1

Les noms utilisés par Giono dans le passage sont les suivants :

> bonheur ; plupart ; métier ; masse ; gens ; monde ; apôtres ; hiérarchie ; soin ; place ; sommet

Activité 1.1.2

Pour faire cette activité, vous devez effectuer un choix parmi les mots proposés par le dictionnaire. Par exemple, le dictionnaire des synonymes en ligne de l'université de Caen donne plus de soixante synonymes pour le mot « sottise ». Il faut choisir un mot ou une expression qui corresponde le mieux au sens général du poème. En effet, le poème lui-même a un sens, que ses éléments individuels contribuent à élaborer.

D Quand vous avez trouvé un synonyme qui vous semble « bien aller » dans le contexte du poème, n'oubliez pas de le vérifier dans votre dictionnaire bilingue pour vous assurer qu'il correspond aussi au sens du poème dans votre langue.

Voici une réponse possible. Les mots sur lesquels vous avez travaillé sont en gras. Nous avons aussi remplacé d'autres mots par des synonymes.

> La **bêtise**, la **méprise**, la transgression, l'avarice,
>
> Occupent notre **cerveau** et travaillent notre **chair**,
>
> Et nous alimentons nos aimables remords,
>
> Comme les miséreux nourrissent leurs parasites.

> Nos transgressions sont têtues, nos **regrets** sont lâches ;
>
> Nous nous faisons payer grassement nos confessions,
>
> Et nous rentrons gaiement dans les **sentiers** bourbeux,
>
> Croyant par de viles larmes laver toutes nos souillures.

Activité 1.1.3

Voici des réponses possibles pour les deux premières paires de mots proposés :

- Comme il faisait beau, nous sommes allés faire **un tour** dans le parc.

  La Tour Eiffel a été construite pour l'exposition universelle de 1889.

- Le dimanche, j'aime bien faire **un somme** pour me reposer après le déjeuner.

  Trois mille euros, c'est **une somme** considérable !

Activité 1.1.4

B

Voici des réponses possibles pour les cinq mots donnés en exemple dans l'étape A :

- le bien ≠ le mal
- l'amitié ≠ l'antipathie
- la justice ≠ l'injustice
- la liberté ≠ la captivité
- l'égalité ≠ l'inégalité

Activité 1.2.1

1 claire

2 plein

3 jeune

4 large

5 jaune

6 nocturne

7 petit (parce que le texte fait référence à un bosquet, c'est-à-dire quelques arbres, et pas à une forêt)

8 bordé

9 inculte

10 légère

Activité 1.2.2

Cette activité n'a pas de corrigé. Le dictionnaire des synonymes en ligne de l'université de Caen propose un vaste choix de synonymes pour certains adjectifs courants. Par exemple, vous y trouverez plus de 180 synonymes pour l'adjectif « mauvais », autour de 250 pour l'adjectif « bon » et plus de 200 pour « beau ». Pourquoi cette abondance ? Parce que les adjectifs décrivent des attributs moraux aussi bien que physiques.

Activité 1.2.3

Voici par exemple la description d'un personnage de Maurice Leblanc (1864–1941), auteur de romans policiers et créateur du gentleman-cambrioleur Arsène Lupin.

> Valérie, qui avait l'air soucieux également, sortit de la chambre et gagna son boudoir. Elle y trouva un individu bizarre, [...] carré d'épaules, solide d'aspect, mais vêtu d'une redingote noire, ou plutôt verdâtre, dont l'étoffe luisait comme la soie d'un parapluie. La figure, énergique et rudement sculptée, était jeune, mais abîmée par une peau âpre, rugueuse, rouge, une peau de brique. Les yeux froids et moqueurs, derrière un monocle qu'il mettait indifféremment à droite ou à gauche, s'animaient d'une gaieté juvénile.

(Maurice Leblanc, *L'Agence Barnett et Cie*, Paris, Éditions Pierre Lafitte, 1928, http://www.scribd.com/doc/2323780/Lagence-Barnett-et-Cie, p. 5, dernier accès le 19 août 2008)

Activité 1.2.4

Voici une description d'Alger rédigée par Guy de Maupassant en 1881. Nous avons identifié, en les mettant en gras, les mots et expressions qui dénotent l'enthousiasme de l'auteur devant le spectacle qu'il a découvert en visitant cette ville. Bien sûr, votre propre description sera plus simple que celle de Maupassant.

Alger

Féerie **inespérée** et qui **ravit l'esprit** ! Alger a **passé mes attentes**. Qu'elle est jolie, la ville de neige sous l'éblouissante lumière ! Une immense terrasse longe le port, soutenue par des arcades élégantes. Au-dessus s'élèvent de grands hôtels européens et le quartier français, au-dessus encore s'échelonne la ville arabe, amoncellement de petites maisons blanches, **bizarres**, enchevêtrées les unes dans les autres, séparées par des rues qui ressemblent à des souterrains clairs. L'étage supérieur est supporté par des suites de bâtons peints en blanc ; les toits se touchent. [...]

De la pointe de la jetée le coup d'œil sur la ville est **merveilleux**. On regarde, **extasié**, cette cascade éclatante de maisons dégringolant les unes sur les autres du haut de la montagne jusqu'à la mer. On dirait une écume de torrent, une écume d'une blancheur folle ; et, de place en place, comme un bouillonnement plus gros, une mosquée éclatante luit sous le soleil.

(Guy de Maupassant, « Au soleil », *Œuvres complètes*, Paris, Éditions Conard, vol. 1, 1907 [1881], pp. 13–14)

Activité 1.3.1

Enfin, en continuant à suivre du dedans au dehors les états simultanément juxtaposés dans ma conscience, et avant d'arriver jusqu'à l'horizon réel **qui** les enveloppait, je trouve des plaisirs d'un autre genre, celui d'être bien assis, de sentir la bonne odeur de l'air, de ne pas être dérangé par une visite : et, quand une heure sonnait au clocher de Saint-Hilaire, de voir tomber morceau par morceau **ce qui** de l'après-midi était déjà consommé, jusqu'à ce que j'entendisse le dernier coup **qui** me permettait de faire le total et après **lequel** le long silence **qui** le suivait semblait faire commencer, dans le ciel bleu, toute la partie **qui** m'était encore concédée pour lire jusqu'au bon dîner **qu'**apprêtait Françoise et **qui** me réconforterait des fatigues prises, pendant la lecture du livre, à la suite de son héros.

NB L'expression « jusqu'à ce que » est une conjonction de temps.

Activité 1.3.2

Voici une réponse possible :

C'est l'histoire d'un fermier **qui** a des enfants **qui** veulent quitter la ferme, **qui** ne produit pas grand-chose. Le vieux fermier essaie de convaincre les enfants, **qui** veulent quitter la ferme, de rester. Il réunit sa famille un soir et dit à ses enfants : « Cultivez les terres pendant la bonne saison **qui** va du printemps à la fin de l'été. Et, pendant la mauvaise saison, cherchez le trésor **qui** est enterré quelque part dans un champ. Malheureusement, je ne sais pas où est caché le trésor **que** mon père a enterré dans un champ. » Chaque année, les enfants ont retourné la terre partout. Et chaque année, ils ont eu des récoltes magnifiques **qui** les ont rendus très riches. Un jour, un fils a compris ce que leur avait dit le père. Le trésor, c'est le travail.

Activité 1.3.3

Voici une réponse possible :

J'ai rencontré dans la rue le fils de ma voisine **qui** habite dans la maison **qui** a un jardin **qui** est situé le long de la rivière **qui** passe dans le village **qu'**habite ma grand-mère **que** j'aime tant.

Activité 1.3.4

Voici une réponse possible dans laquelle l'auteur se souvient d'une époque lointaine, dans une petite ville de France. Nous avons indiqué les pronoms relatifs en gras et les adjectifs en gras italique.

Je m'en souviens comme si c'était hier. J'avais cinq ou six ans. Ce jour de vacances d'été, je me suis réveillé très tôt. Il faisait *grand* jour et le soleil brillait. Je me suis levé tout de suite et je suis allé faire une *petite* promenade avant de prendre mon petit-déjeuner. À cette époque, la rue était un terrain de jeu **où** passaient parfois de *rares* voitures. Comme mon quartier était situé en bordure de ville, sur une hauteur **qui** dominait des champs et de *vastes* prairies, il y régnait un calme *complet* à cette heure *matinale*, un calme **que** l'on ne connaît plus de nos jours. La campagne était *baignée* par une lumière *dorée* et les champs se déroulaient à perte de vue montrant une alternance de vert et de blond selon qu'ils étaient cultivés pour des céréales ou du foin. Le ciel était *bleu* et quelques *petits* nuages *blancs* semblaient *suspendus* au dessus de la *paisible* campagne, comme pour la mettre en valeur. Les oiseaux chantaient dans les arbres et dans les haies *fleuries*. On entendait de très loin quelque charrette *lente* **dont** les roues faisaient crisser les cailloux des chemins. Je me suis assis sur l'herbe *haute* d'un talus et j'ai écouté ce concert *champêtre* et *matinal* pendant très longtemps. Ce bruit *nostalgique* de voitures *invisibles* *tirées* par des chevaux *résignés* continue à résonner dans mes oreilles *abasourdies* de citadin.

Activité 1.4.1

Voici une réponse possible :

> Je la contemplais, affligé, étonné, ravi par le pouvoir de la passion ! Cette jeune femme fortunée avait suivi cet individu, cet agriculteur. Elle était devenue elle-même une exploitante agricole. Elle s'était habituée à son existence sans agréments, sans faste, sans raffinements ; elle s'était faite à ses coutumes ordinaires. Et elle l'aimait encore. Elle était devenue l'épouse d'un homme grossier.

Notez que les adjectifs de la première phrase s'accordent avec le sujet « je », qui est donc masculin.

Activité 1.4.2

Voici une réponse possible :

> Les nécessités élémentaires étant désormais satisfaites, l'économie américaine a créé de nouvelles aspirations, provoquant l'acquisition de biens de consommation inutiles dont la renommée compte plus que l'importance véritable. La publicité entretient alors le ressentiment des personnes pour leur proposer ensuite l'achat comme antidote. Ainsi empêche-t-elle la rébellion en offrant des modifications insignifiantes. Dans le domaine moral, elle a adhéré au renversement des valeurs : la promotion de l'hédonisme et de l'absence de contrainte a remplacé la promotion du travail. Mais c'est une ruse car cette liberté n'est que celle de consommer. La publicité devient alors une nouvelle dépendance.

Activité 1.5.1

A

1 Le futur.

2 Le présent.

3 Le passé composé.

4 L'imparfait (et le passé simple).

5 L'imparfait.

B

1 Le premier texte est principalement rédigé au futur parce qu'en effet les événements décrits n'ont pas encore eu lieu. Remarquez que le choix du futur (plutôt que du présent) permet d'insister à la fois sur la chronologie (aspect objectif) et sur le fait que l'auteur se livre à des spéculations sur l'avenir (aspect plus subjectif). Ce dernier aspect est renforcé par l'utilisation du verbe « devoir », qui ajoute la nuance « si tout

se passe bien, normalement, voici ce qui va se passer ». Notez que « devrait » est un conditionnel, et non pas un futur.

2   Le deuxième texte est rédigé au présent. Cette façon d'utiliser le présent pour parler du passé se retrouve fréquemment en français, et a pour effet de rendre les événements plus immédiats et plus « vivants ». On nomme cet usage du présent le « présent historique ».

Certains auteurs anglophones emploient le présent historique pour les mêmes raisons, surtout pour rendre l'idée du *stream of consciousness* (ou monologue intérieur), si bien illustré par James Joyce à la fin de *Ulysses*.

3   Le troisième texte est rédigé au passé composé. Il commence par un adverbe de temps, et décrit une série d'événements passés qui forment une seule et même séquence, ou un seul et même incident.

4   Le quatrième texte utilise l'imparfait et comporte quelques verbes au passé simple. Ces deux temps sont en contraste l'un avec l'autre et ont des fonctions différentes. En utilisant l'imparfait, l'auteur montre le mouvement continu de la chaîne de production industrielle. Par l'utilisation du passé simple, l'auteur « détache » de ce contexte les actions ou réactions d'Élise et leur donne un relief particulier. Dans d'autres textes, cette fonction de « mise en relief » est confiée au passé composé.

5   Dans le cinquième texte, l'imparfait est utilisé pour indiquer que les événements décrits font partie d'une routine, qu'ils se reproduisent régulièrement. On peut imaginer ce texte rédigé au passé historique ou au passé composé : alors, les événements décrits auraient été présentés comme uniques, n'étant arrivés qu'une seule fois.

Activité 1.5.2

A

Voici les verbes, correctement conjugués :

> est intervenue ; a renchéri ; est monté ; ont commencé ; ne s'est plus jouée ; ont pris note ; a remué

B

Vous avez changé le ton du texte en le situant bien clairement dans le passé, et en le présentant comme un seul et unique événement. L'effet d'immédiateté créé par le présent historique a disparu, mais le passé composé est peut-être mieux adapté à ce que vous voulez faire de votre texte (tout dépend du contexte).

C

Voici les verbes, correctement conjugués :

> a eu ; s'est passé ; s'est séparée ; a dû ; a permis ; a dû ; a allumé ; a fallu ; a fait

D

Vous avez maintenant changé radicalement le texte – les événements appartiennent sans équivoque au passé. Remarquez que vous avez dû changer les futurs et les présents du texte original pour préserver la cohérence du texte.

Activité 1.5.3

A

Dans le premier paragraphe, Balzac se sert principalement du passé composé. Dans le dialogue, on constate l'emploi de plusieurs temps (présent, passé composé, imparfait), mais c'est le présent qui est majoritaire.

Ce changement s'explique ainsi. Le premier paragraphe est consacré à l'énumération d'événements survenus dans le passé, mais qui continuent à avoir un impact au moment où on écrit. C'est l'emploi classique du passé composé.

Dans le dialogue, Balzac s'adresse directement au lecteur, pour se plaindre de l'actualité des prix.

B

Voici une réponse possible :

Ce qui se passera à Bordeaux au cours du XXIᵉ siècle

Il est probable qu'à l'avenir les hypermarchés et les supermarchés tueront toutes les épiceries du coin et tous les magasins spécialisés au centre de nos villes.

Savez-vous quel sera le prix de cette transformation ?

Vous payerez/paierez deux euros cinquante centimes les cerises, les groseilles, les brugnons qui autrefois valaient dix centimes !

Vous payerez deux euros les fraises qui valaient dix centimes, et un euro le raisin qui se payait quinze centimes !

Vous payerez quatorze à quinze euros le poisson, le poulet, qui valaient cinq euros !

Vous payerez deux fois plus cher qu'autrefois l'électricité, qui aura triplé de prix. Votre cuisinière, dont le livret à la caisse d'épargne offrira un total supérieur à celui des économies de votre femme, s'habillera aussi bien que sa maîtresse quand elle aura congé !

L'appartement qui se louait 400 euros en 2005, se louera 1 000 euros en 2030.

La vie que permettait en 2005 un salaire de mille euros ne sera pas aussi confortable en 2030 avec un salaire de trois mille euros.

La pièce de deux euros sera devenue beaucoup moins que ce qu'était autrefois la pièce de deux francs !

Mais aussi vous aurez les chauffeurs de taxi en uniforme qui liront, en vous attendant, un journal ou un magazine écrit, sans doute exprès pour eux.

Enfin vous aurez le plaisir de voir sur un panneau de publicité de supermarché ; « Positivez chez Untel » ou « Les jeans Machin », ce qui vous montrera le progrès de l'enseignement dans nos collèges et nos lycées !

Activité 1.5.4

Voici une réponse possible :

Je suis entièrement d'accord avec ce dicton. Comment peut-on être heureux et mener une vie normale lorsqu'on a mal aux dents ou une blessure à la suite d'un accident ?

Je me sens bien mentalement lorsque mon corps fonctionne bien. En fait, lorsque je ne suis pas conscient(e) de mon anatomie.

Si votre cor au pied vous rappelle sans arrêt son existence, vous devenez moins agréable envers les autres. En effet, lorsque quelque chose ne va pas, nous y pensons plus ou moins, suivant la gravité du cas, et cela nous empêche de nous livrer complètement à nos occupations normales. Par suite, il est plus difficile d'être optimiste lorsqu'on est malade.

Unité 2

Activité 2.1.1

A

Les adverbes à identifier sont en caractères gras :

> Si l'on doit prendre des bagages, il faut un sac qui puisse se porter **facilement** sur le dos et, si léger qu'il soit, on ne saurait guère s'en charger, car la marche est **déjà assez** fatigante à elle seule. On a **donc alors** besoin d'un porteur, si l'on n'a pas un guide qui prenne le sac, ce qui renchérit **notablement** les excursions. **Souvent** il faut **aussi** des provisions de bouche et divers objets spéciaux, mais on doit se charger et s'embarrasser **le moins** possible.

B

Dans ce texte, le style semble moins riche sans adverbes. Pourtant c'est parfois le cas qu'un excès d'adverbes gâche le style au lieu de l'améliorer.

C

Des synonymes possibles pour les adverbes ci-dessus sont :

> sans difficulté ; toujours tellement ; certainement ; considérablement ; fréquemment ; en plus ; aussi peu que

Activité 2.1.2

Voici le texte original. Vous avez peut-être pu le reconstituer autrement.

> Avant la loi sur la réduction du temps de travail, c'était **toujours** la course, je n'avais le temps de ne rien faire. Depuis le changement, j'ai plus de loisirs et plus de flexibilité dans l'organisation de mon travail. **Avant**, j'étais **beaucoup** moins en forme. Mais je me suis inscrite dans un club de voile il y a **environ** cinq ans, et cela fait **aussi environ** cinq ans que je me suis remise à aller au ciné **régulièrement**. Depuis que je travaille moins d'heures par semaine, je peux **aussi** m'occuper des enfants de ma sœur. Il y a **maintenant bientôt** deux ans que je les garde **tous les mercredis après-midi**. Ils sont ravis !

Activité 2.1.3

Les adverbes utilisés dans la version originale du texte sont les suivants :

1   soudain

2   toujours

3   déjà

4   entièrement

5   régulièrement

6   normalement

7   encore

8   constamment

9   bientôt

10 suffisamment

Comparez ce que vous avez écrit avec les adverbes ci-dessus, et essayez d'analyser les différences. Vous avez sans doute choisi d'autres adverbes qui sont aussi valables, mais posez-vous les questions suivantes :

- Vos adverbes, sont-ils en accord avec le temps des verbes ?

- Vos adverbes, sont-ils aussi descriptifs ?

- Vos adverbes, sont-ils aussi évocateurs ?

Activité 2.1.4

A

1–(c); 2–(a); 3–(e); 4–(b); 5–(d)

B

Voici une réponse possible :

Randonnées pour les pantouflards

Deux ou trois semaines avant de partir en vacances, laissez votre voiture chérie à 100 mètres du bureau, bien à l'écart, et arrivez chaque jour en short et T-shirt, le sac au dos. Pendant la journée, ne prenez jamais de café, buvez plutôt un jus de fruit à 11 heures et prenez un yaourt à midi. Parlez sans cesse avec vos collègues de jogging, de tentes, de bottes « tout terrain » et de l'air fort et vivifiant des montagnes.

Quand vous arriverez à votre hôtel « Au Pantouflard » (5 étoiles), un bon dîner copieux, arrosé d'un vin de grand cru, vous attendra. Le lendemain, vers onze heures, vous serez transporté(e) confortablement dans un car climatisé jusqu'au sommet de la « montagne ». Ne portez surtout pas de bagages, tout juste une bouteille d'eau et votre appareil photo. Vous n'aurez besoin ni de cartes, ni de boussoles, ni de pharmacie de poche – votre gentil guide s'occupera de tout. Vous n'aurez que deux kilomètres de promenade en aval à faire pour arriver à l'endroit où un excellent pique-nique sera prêt.

Après le repas, on vous conseillera de faire une petite sieste d'une heure (sur des lits de camp luxueux disposés à l'ombre) et puis vous serez transporté(e) au sommet de la prochaine petite montagne. Encore deux kilomètres de descente facile et vous arriverez bien décontracté(e) dans un hôtel tout confort. Votre chambre sera prête et vous y trouverez bien sûr vos

bagages. Repos complet le deuxième jour et ainsi de suite. À la fin de la semaine vous retournerez en car à votre premier hôtel, ayant fait une randonnée de 80 kilomètres, dont 10 kilomètres à pied.

N'oubliez surtout pas de montrer plusieurs fois à vos collègues les photos que vous aurez prises des sommets !

Activité 2.2.1

1 Le projet a été commencé par Yves Gonnard.

2 L'inspecteur Maigret a été souvent aidé par les concierges.

3 Bientôt un système électronique de surveillance dans l'immeuble sera installé par les propriétaires.

4 Toutes les industries « sub dio » ont été tuées par la boutique.

5 Plusieurs plats du jour sont offerts à ses clients par le patron du restaurant.

Activité 2.2.2

1 La construction de la bibliothèque sera terminée en l'an 2020.

2 Le nouveau maire de Paris a été élu au mois de mars.

3 La Pyramide a été installée malgré des protestations de certains dans la Grande Cour du Louvre.

4 L'Opéra de la Bastille a été construit au cours du premier septennat de François Mitterrand.

5 Les pièces de théâtre de Molière étaient jouées plusieurs fois par an au XVIIe siècle.

Activité 2.2.3

1 On a appelé ce style d'architecture « façadisme ».

2 On créait régulièrement une urbanisation à l'américaine.

3 Maintenant on pratique l'opposé de ce qui s'est passé autrefois.

4 On exigera des caméras sur les stades.

Activité 2.2.4

1 Les robots pour faire des tâches ménagères s'achèteront très cher.

2 Cela se disait souvent dans le temps.

3 Le théâtre s'est vidé rapidement à l'entr'acte.

4 Les téléphones mobiles se vendent comme des petits pains.

Activité 2.3.1

A

Le terme « façadisme » s'applique à une méthode de reconstruction de quartiers entiers qui consiste à tout rebâtir à neuf sauf les façades anciennes d'immeubles qui sont systématiquement conservées.

B

Voici un résumé possible des propos de Françoise Lambert :

> Le mot « façadisme » a ses origines au Canada, où il décrit la tendance qu'ont les architectes à conserver la façade ancienne d'un immeuble, tout en refaisant l'intérieur.

> Le façadisme est un phénomène ancien, qui s'est manifesté de façons diverses au cours des siècles. Dans le Paris du XIXe siècle, les autorités ont obligé certains propriétaires à construire des façades neuves pour dissimuler des maisons du Moyen Âge afin de moderniser l'apparence de la rue où elles se trouvaient.

> Après la Première Guerre mondiale, le façadisme a connu une transformation. On a reconstruit certaines villes comme Noyon, ou Ypres en Belgique, dans un style plus médiéval qu'avant. Mais, derrière les façades ultra-gothiques il y a un aménagement moderne.

> Aujourd'hui le façadisme représente un rejet du modernisme du XXe siècle. Il est dû à la médiocrité des constructions modernes, qui a suscité l'hostilité du public et a donné lieu à des règlements plus stricts en ce qui concerne l'extérieur des bâtiments.

C

Dans cette version du texte la plupart des verbes conjugués sont à la voix passive. Cela rend le ton plus sec. C'est un style académique, très favorisé par les universitaires. Mais il ne faut pas confondre impersonnalité et objectivité !

> Le mot « façadisme » **a été inventé** au Canada, pour décrire la tendance qu'ont les architectes à conserver la façade ancienne d'un immeuble, tout en refaisant l'intérieur.

> Le façadisme est un phénomène ancien, qui **a été pratiqué** de façons diverses au cours des siècles. Dans le Paris du XIXe siècle, certains propriétaires **ont été obligés** de construire des façades neuves pour dissimuler des maisons du Moyen Âge afin de moderniser l'apparence de la rue où elles **étaient situées**.

> Après la Première Guerre mondiale, le façadisme **a été transformé**. Certaines villes comme Noyon, ou Ypres en Belgique, **ont été reconstruites** dans

un style plus médiéval qu'avant. Mais, derrière les façades ultra-gothiques, les intérieurs **ont été aménagés** dans un style moderne.

Aujourd'hui le façadisme représente un rejet du modernisme du XXe siècle. Il **est provoqué** par la médiocrité des constructions modernes, qui a suscité l'hostilité du public et a donné lieu à des règlements plus stricts en ce qui concerne l'extérieur des bâtiments.

D

Cette version contient une dizaine d'adverbes, de locutions adverbiales et d'autres expressions pour apporter des précisions aux mots du texte.

Le mot « façadisme » a ses origines au Canada, où il décrit la tendance qu'ont **depuis peu** les architectes à conserver **à tout prix** la façade ancienne d'un immeuble, tout en refaisant **à neuf** l'intérieur.

Le façadisme est un phénomène **assez** ancien, qui s'est manifesté de façons diverses au cours des siècles. Dans le Paris du XIXe siècle, les autorités ont obligé certains propriétaires à construire des façades **flambant** neuves pour dissimuler des maisons du Moyen Âge afin d'accentuer **au maximum** la modernité de la rue où elles se trouvaient.

Après la Première Guerre mondiale, le façadisme a connu une transformation. On a reconstruit certaines villes comme Noyon, ou Ypres en Belgique, dans un style plus **purement** médiéval qu'avant. Mais, derrière les façades ultra-gothiques il y a un aménagement **entièrement** moderne.

Aujourd'hui le façadisme représente **le plus souvent** un rejet du modernisme du XXe siècle. Il est **largement** dû à la

médiocrité des constructions modernes, qui a suscité l'hostilité du public et a donné lieu à des règlements **toujours** plus stricts en ce qui concerne l'extérieur des bâtiments.

E

Voici une version de notre texte qui a été enrichi à l'aide de synonymes :

Le néologisme « façadisme » trouve ses origines au Canada, où il décrit la manie qu'ont les architectes contemporains à sauvegarder à tout prix la façade ancienne d'un immeuble, tout en rénovant de fond en comble l'intérieur.

À vrai dire le façadisme est un phénomène de très longue date, qui s'est manifesté de diverses façons à travers les siècles. Dans le Paris du XIXe siècle, les pouvoirs publics ont contraint certains propriétaires à doter leurs domiciles de façades flambant neuves pour dissimuler leurs antécédents moyenâgeux et moderniser l'apparence de la rue où ils étaient situés.

Après la guerre de 1914–1918, le façadisme a subi une métamorphose. Des villes dévastées comme Noyon, ou Ypres en Belgique, ont été reconstruites dans un style encore plus purement médiéval qu'avant. Mais derrière les façades ultra-gothiques l'intérieur a été aménagé dans un style résolument moderne.

Dans son incarnation la plus récente, le façadisme est une révolte contre le modernisme du milieu du XXe siècle. Elle est occasionnée par la piètre qualité des constructions modernes, qui a fini par soulever la désapprobation du public et a donné lieu à des restrictions plus fermes de la part des autorités, en ce qui concerne l'extérieur des édifices.

Activité 2.4.1

A

Cette activité n'a pas de corrigé, mais étudiez avec soin l'exemple de la section 2.4 et vérifiez les accords et l'orthographe de votre version. Servez-vous d'un dictionnaire des synonymes, si vous en avez besoin.

B

Voici des réponses possibles :

1   La femme du président, qui l'avait accompagné à contrecœur ce soir-là, n'a pas du tout aimé la pièce de théâtre, qu'elle a trouvée mortellement ennuyeuse.

    La femme du président, qui l'avait accompagné à contrecœur ce soir-là, n'a pas du tout aimé la pièce de théâtre, qu'elle a trouvée si mortellement ennuyeuse qu'elle aurait préféré se faire arracher, un à un – et sans anesthésie – les ongles des orteils.

2   La star, gentille comme d'habitude, se tenait sans rien dire sur le plateau du film en embrassant sa comparse.

    La star, gentille comme d'habitude, se tenait souriante mais sans rien dire sur le plateau du film, en embrassant sa comparse éplorée, qui venait de sécher, comme pour la protéger contre la colère du metteur en scène dont l'irascibilité était notoire.

3   Mon ami est arrivé à l'improviste, lorsque j'étais en train d'essayer sa veste préférée.

    Mon ami est arrivé à l'improviste, lorsque j'étais en train d'essayer sa veste préférée et sur le point de sortir.

    Mon ami, qui avait laissé sa veste chez moi, est arrivé à l'improviste, lorsque j'étais en train de l'essayer, dans l'intention de sortir pour aller dans une boîte de nuit avec sa copine, avec qui je venais d'avoir une conversation très intime.

4   L'écrivain venait de publier son dernier polar qui s'était vendu moins bien que les précédents.

    L'écrivain venait de publier son dernier polar qui s'était vendu moins bien que les précédents, parce qu'on avait trouvé que l'intrigue n'était pas très bien nouée.

    L'écrivain, à qui on avait reproché un manque d'originalité, venait de publier son dernier polar, qui s'était vendu moins bien que les précédents, parce qu'on avait trouvé que l'intrigue n'était pas très bien nouée, que les personnages étaient flous et que le protagoniste était peu crédible.

5   L'auteur a expliqué, sans toutefois révéler l'essentiel de son art, comment il crée ses intrigues, en s'inspirant du Labyrinthe.

    Sans toutefois révéler l'essentiel de son art, l'auteur a expliqué le processus mystérieux par lequel il crée ses intrigues, en avouant qu'il s'inspire des principes qui ont été découverts par Dédale, constructeur du Labyrinthe du roi Minos.

Activité 2.4.2

A

Voici des exemples de phrases simples :

- Oh, ça, c'est une abstraction.
- Mes parents faisaient un métier public.
- Toute vie est une recherche d'harmonie.

Voici des exemples de phrases complexes :

- C'est Roman Polanski qui m'a demandé si j'acceptais de me soumettre aux élections.
- Moi, l'ennui, je ne sais pas ce que c'est.
- Ce qui émanait de moi a attiré certains réalisateurs à une époque où le cinéma était en mutation.

B

Voici quelques terminaisons de phrases possibles :

1 Mon père était hôtelier-restaurateur à Vichy donc je n'ai jamais connu de maison familiale. (simple)

Mon père était hôtelier-restaurateur à Vichy, ce qui a peut-être provoqué ce besoin de solitude que j'éprouve toujours aujourd'hui. (complexe)

2 Ma mère a abandonné son métier quand elle s'est mariée. (simple)

Ma mère a abandonné son métier, ce qu'elle a regretté parce qu'elle n'a pas pu réaliser son rêve. (complexe)

3 Le temps était venu d'être autonome et indépendante. (simple)

Le temps était venu d'être autonome et de montrer ce dont j'étais capable. (complexe)

Activité 2.4.3

A

Les « marqueurs » qui nous aident à suivre la logique de l'argument sont :

- Si... c'est parce que...
- Ceci dit...
- Quelle autre possibilité existe-t-il ?
- Bien entendu... mais...
- Que faire, donc ?
- il faut accepter...

B

- Le premier paragraphe est l'introduction, qui reprend le titre et sert à exposer le problème.
- Le second paragraphe exprime les réserves de l'auteur à l'égard de la qualité du doublage.

- Le troisième paragraphe présente une solution alternative mais la rejette.
- Le quatrième paragraphe arrive à la conclusion que le doublage représente un compromis nécessaire et retourne au titre du texte.

Activité 2.5.1

A

Les phrases qui commencent par une conjonction sont :

- Mais c'est long... (paragraphe 2)
- Mais, Geneviève Carbone... (paragraphe 4)
- Et surtout... (paragraphe 5)
- Mais former... (paragraphe 5)

Selon certains grammairiens, commencer une phrase par une conjonction est une erreur de style. Pourtant, dans la langue parlée dans le journalisme ce placement est très commun.

B

1 Les phrases qui ne contiennent pas de verbe conjugué sont :

« Attention, loups. Promenade déconseillée. » (paragraphe 2)

Lâcher des cervidés pour rassurer les chasseurs, indemniser sans discuter les propriétaires pour chacune des brebis tuées, et améliorer les conditions de travail des bergers, en construisant des cabanes et en améliorant l'adduction d'eau. (paragraphe 4)

Et surtout, les aider à protéger les troupeaux. (paragraphe 5)

Résultats : cinq bêtes tuées, contre une trentaine l'année précédente. (paragraphe 5)

Ces constructions aussi sont caractéristiques du style journalistique, qui imite souvent la langue parlée. Dans un style plus littéraire, on les jugerait moins acceptables.

2   Le reporter a utilisé cinq phrases assez courtes. Chaque phrase compte à peu près treize mots en moyenne. Sans doute, ce style a été choisi délibérément, pour que les étapes de l'argument soient claires et concises.

3   Par contraste, ceux qui ont été interviewés et dont on rapporte le discours direct ont utilisé six phrases d'une longueur moyenne de 20 mots. Ceci typifie le « parler naturel » qui n'est pas structuré dans un but particulier.

C

Voici une version possible de l'article, qui contient 205 mots en quatre phrases, avec une longueur moyenne de 51 mots. Nous avons mis en gras les connecteurs et les endroits ou des phrases ont été combinés, pour montrer la façon dont nous avons lié les phrases courtes.

> Officiellement **les dix premiers loups**, repérés il y a trois ans dans le Mercantour, sont venus d'Italie, attirés en France par l'abondance **des mouflons, des chamois**... et surtout des brebis, **puisque** plus de 80 000 ovins passent l'été dans la montagne, **dont** l'an dernier, plus d'une centaine (135 selon le parc national, 172 selon les éleveurs) ont été tués par les loups.

> En principe, le propriétaire est indemnisé, **mais** c'est long et souvent difficile de prouver que le prédateur n'était pas un chien errant **et donc**, avec l'arrivée des premiers transhumants, l'inquiétude gagne l'arrière-pays niçois et la rumeur **court que** les loups seraient au moins cinquante et **qu'**ils auraient été introduits volontairement par les responsables du parc **qui ont d'ailleurs balisé les chemins d'une abondance** d'affichettes portant l'avis « Attention, loups. Promenade déconseillée. »

L'an passé, **pour aider les bergers** à protéger les troupeaux, le parc a donné à l'un d'entre eux un couple de chiens pastou, seule race qui n'a pas peur d'attaquer les loups **et il en résultait que** cinq bêtes seulement ont été tuées, contre une trentaine l'année précédente. Il faudrait équiper d'autres bergers, **mais** il est évident que former les chiens prend du temps, **ce qui veut dire que** pour cet été, c'est déjà trop tard.

En rallongeant les phrases de cette manière, nous avons transformé le style journalistique du passage, plutôt concis et accrocheur, pour adopter un style plus littéraire et plus coulant. Le style d'un texte doit être choisi en fonction du public ciblé et de l'effet visé.

Activité 2.5.2

A

Il n'y en a que deux !

B

Voici une version possible, que nous avons séparée dans un plus grand nombre de phrases – avec nos excuses à Proust. Etudiez-la et votre propre version avec soin et remarquez les changements, comme vous l'avez fait pour l'activité 2.5.1. En créant des phrases plus simples et plus courtes, vous avez peut-être pu mieux comprendre le paragraphe. Pourtant, en transformant le style, avez-vous peut-être détruit l'effet *stream of consciousness* de l'original et perdu sa qualité primordiale ?

> J'ai reconnu le goût du morceau de madeleine trempé dans le tilleul. C'est ma tante qui me le donnait. La vieille maison grise sur la rue vint s'appliquer comme un décor de théâtre au petit pavillon donnant sur le jardin. Sa chambre était dans cette maison. On avait construit ce pavillon pour mes parents sur les derrières de la maison.

Avec la maison, la ville et la Place. On m'y envoyait avant déjeuner. Les rues où j'allais faire des courses depuis le matin jusqu'au soir et par tous les temps. Les chemins qu'on prenait si le temps était beau. Dans un jeu les Japonais s'amusent à tremper dans un bol de porcelaine rempli d'eau de petits morceaux de papier jusque-là indistincts. Ils y sont plongés. Ils s'étirent. Ils se contournent. Ils se colorent. Ils se différencient. Ils deviennent des fleurs, des maisons, des personnages consistants et reconnaissables. De même toutes les fleurs de notre jardin et celles du parc de M. Swann, et les nymphéas et la Vivonne, et les bonnes gens du village et leurs petits logis, et l'église et tout Combray et ses environs, tout cela prend forme et solidité. La ville et les jardins sortent de ma tasse de thé.

Activité 2.5.3

Voici une version possible de l'entretien :

Jeanne Moreau est aujourd'hui la première femme membre de l'Académie des beaux-arts. Sa première réaction, quand Roman Polanski lui a demandé si elle accepterait de se soumettre aux élections, a été négative. Elle traversait une période de création, en préparant une pièce et elle n'avait pas envie de s'exposer, mais elle s'est dit que c'était absurde de refuser. Elle pensait que ce serait un signe d'orgueil et qu'il fallait savoir recevoir des cadeaux aussi bien que de les offrir. Son père lui disait : « Les honneurs ça vaut mieux qu'un coup de pied au cul » et elle était d'accord que plutôt que d'être fustigée, mieux valait être cajolée. En plus, cela lui a permis de faire un travail intérieur et de passer en revue ce qui était le moteur de son existence, de savoir pourquoi on faisait les choses et à quoi elles correspondaient.

Jeanne Moreau a bien sûr des petits moments d'introspection, au quotidien, en fin de journée ou au catéchisme quand elle était petite fille, mais elle ne regarde pas généralement en arrière. Dans son discours d'acceptation elle a donné quelques éclaircissements sur la personne qu'ils venaient d'installer dans le fauteuil, sachant que les gens vous connaissent à travers une image, mais aussi elle a gardé ses secrets.

Elle a révélé des souvenirs d'enfance et son besoin de solitude. Ses parents faisaient un métier public – son père était hôtelier-restaurateur à Vichy – et donc elle n'a jamais connu ni maison familiale ni chambre à elle. Jeune, elle n'a pourtant jamais connu l'ennui à Vichy où il y avait un climat très passionnel.

Sa mère anglaise, danseuse dans la troupe des Tiller Girls, a rencontré son père à Montmartre dans son restaurant de la Cloche d'Or. Elle avait abandonné son métier – à regret – quand elle s'est mariée. Son père s'était opposé jusqu'au bout à sa vocation, ce qu'elle a considéré comme un avantage, puisque cela la forçait à travailler encore plus pour réaliser son rêve. Toute sa vie, elle a voulu prouver à son père qu'elle avait raison.

Unité 3

Activité 3.1.1

Voici l'ordre original :

2   Le problème

1   Plus de détail

4   Deux solutions possibles au problème

3   La décision

Activité 3.1.2

Voici l'ordre original : 2, 4, 1, 3

- Les phrases 2 et 4 résument ce qui a précédé.
- La phrase 1 propose une solution et donne une opinion.
- La phrase 3 élargit sur le thème de cultiver la différence européenne.

Activité 3.1.3

1   Nous avons noté quelques idées pour chaque catégorie (voyez 2, ci-dessous), mais vous en avez sans doute trouvé d'autres.

2   Voici ci-contre des idées possibles pour et contre la proposition :

Pour	Contre
• L'anglais devient une langue universelle	• Défense de la culture propre à chaque pays
• Profiter de l'expertise américaine	• Prise en compte des talents des acteurs de langue française
• Briser l'isolement des Américains en introduisant d'autres idées plus larges	• Prise en compte des talents de tous les techniciens
• Profiter des moyens disponibles dans l'industrie américaine	• Maintenir diversité et richesse culturelles dans le monde
• Moins de duplication et de gaspillage de ressources, etc.	• Lutter contre la réduction du choix et de la liberté individuelle
	• Protéger la diversité linguistique dans le monde, la francophonie, cinéma comme reflet d'une culture ou société spécifique, etc.

3   Voici une réponse possible si vous êtes d'accord avec la proposition :

- Bonne idée
- Meilleure utilisation des ressources
- Moins de gaspillage de moyens maintenant
- Encourager une langue universelle

4   Voici un plan d'introduction possible :

(a)   Présentez en bref le sujet du débat

(b)   Les problèmes à considérer

(c)   Le schéma de l'argumentation à suivre

5   Voici une introduction possible :

La France a-t-elle besoin de sa propre industrie cinématographique ? Pourrait-on centraliser toute la production mondiale à Hollywood ? Pour répondre à ces questions, je vais tout d'abord considérer les avantages de la centralisation, qui sont principalement économiques, puis j'en verrai les inconvénients en abordant les conséquences culturelles qu'aurait un tel scénario. Enfin je terminerai par quelques réflexions personnelles sur la question.

Activité 3.2.1

A

Voici une réponse possible :

Introduction

La proposition que les Américains ont suffisamment de moyens à eux seuls pour fournir au monde entier le nombre de films demandés par les spectateurs et qu'il vaudrait mieux les laisser faire est peut-être valable si l'on ne tient compte que des moyens financiers et de la capacité de production de Hollywood. Si, par contre, on considère la richesse culturelle, la diversité des perspectives, des idées, et de l'héritage linguistique des différents pays, on s'aperçoit alors tout de suite qu'une domination américaine entraînera une dégradation du patrimoine intellectuel du monde entier et risquera de s'étendre peu à peu dans le domaine culturel en général, y compris celui de la littérature et du théâtre, sans oublier la télévision. Examinons les deux aspects de cette domination.

Pour

D'abord, un cinéma uniquement Hollywoodien supposera un cinéma en langue anglo-saxonne. Mais pourquoi ne pas privilégier la propagation de l'anglais comme langue universelle ? C'est un processus déjà entamé. Selon certains, cela contribuera à une meilleure compréhension entre les peuples. En plus, l'isolement des Américains sera réduit par tant d'influences multinationales fournies par la présence d'acteurs venus de partout dans le monde. Du côté des ressources, le gaspillage et la duplication seraient réduits.

Contre

D'un autre côté, tous les pays ont un patrimoine culturel digne d'être sauvegardé. L'industrie cinématographique fait partie de cette culture. La vie intellectuelle de chaque pays sera appauvrie par l'absence de gens de talent comme les metteurs en scène, les acteurs et les techniciens. Sur le plan linguistique, la lutte contre l'américanisation de nos langues – et donc de nos idées – est déjà assez difficile, sans sacrifier un tel outil de propagande à « l'adversaire ». Comme dans le monde industriel où fusions et monopoles réduisent notre gamme de choix et menacent même notre liberté individuelle, capituler devant Hollywood serait un premier pas vers une homogénéité culturelle désastreuse.

Conclusion

Précisons aussi que le prix de cette capitulation sera très élevé. Comment pourrait-on continuer à défendre la diversité culturelle et linguistique qui existe dans le monde et qui le rend si riche en idées ? Comme pour la biodiversité, on ne connaît pas précisément la vraie valeur de cette hétérogénéité, mais on ne peut courir le risque de ne la reconnaître qu'après l'avoir détruite. Donc il faut résister par tous les moyens à l'américanisation de nos cultures, comme on résiste à la destruction de notre environnement.

B

Voici une auto-évaluation possible du texte ci-dessus :

La structure et la cohésion

L'introduction ne présente pas le sujet aussi clairement que le modèle donné pour l'activité 3.1.3, et le plan est seulement à peine mentionné. La discussion est cependant présentée de façon claire, avec des mots et des expressions comme « d'abord », « en plus » et « d'un autre côté ». La conclusion est satisfaisante et donne le point de vue de l'auteur, mais elle pourrait répondre à la question de manière plus précise. Il aurait fallu aussi utiliser un mot de liaison dans la première phrase qui indique clairement qu'il s'agit de la conclusion.

Le style et la langue

Le choix du style et du langage semblent appropriés, avec un mélange de phrases simples et complexes. Il ne semble y avoir (on espère !) ni fautes d'orthographe ni erreurs grammaticales.

Activité 3.3.1

A

1   Allusion à Gavroche, un gamin de Paris et personnage des *Misérables* de Victor Hugo. Un Gavroche désigne ici un jeune rebelle qui vient de la grande banlieue autour de Paris.

2   Désigne un Parisien au courant des dernières modes en matière de culture jeune.

3   Aime beaucoup la musique rap/est fou de musique rap.

4   Être dans les 50 meilleurs... le Top 50 correspondant aux 50 premières chansons au hit-parade.

5   Une sensation physique d'excitation.

6   Un choc physique et émotionnel obtenu sans dépenser beaucoup d'argent.

7   Une revendication collective impossible à lire.

8   Une protestation de masse sans paroles.

B

Voici une réponse possible :

- Premier paragraphe : Le jeune tagueur aime choquer et laisser sa signature sur les murs.

- Deuxième paragraphe : Être tagueur, c'est aimer le danger.

- Troisième paragraphe : C'est un risque qui fait frémir de plaisir et ne coûte pas trop cher.

- Quatrième paragraphe : Ça ressemble à un art primitif.

C

Voici une réponse possible :

> Ce texte s'attache à identifier quel type de personne est le « tagueur », quelles sont ses motivations et que signifie cette activité.

Plusieurs éléments du texte nous renseignent sur l'opinion qu'il exprime. Il se sert de mots comme « gamins » pour décrire les graffeurs et « aventure » pour décrire leurs activités, alors que d'autres auraient pu utiliser des mots péjoratifs peignant ces jeunes comme des délinquants et leurs activités comme du vandalisme. Le texte souligne la qualité artistique des graffiti, dès le titre en choisissant de comparer les jeunes à Picasso, et il cite seulement des jeunes qui présentent un point de vue positif sur les graffiti pour illustrer le thème central de l'article.

Activité 3.3.2

A

Les signataires de cette pétition ont voulu protester contre la construction de la tour Eiffel à Paris. Ils trouvent que la tour Eiffel est à la fois inutile et laide, et qu'elle détruit un Paris qu'ils considèrent comme étant la plus belle ville du monde.

B

Le texte est subjectif. Les expressions suivantes le montrent :

> amateurs passionnés, de toutes nos forces, notre indignation, menacés, monstrueuse, la malignité, tour de Babel, proclamer bien haut, la ville sans rivale, quais admirables, magnifiques promenades, surgissent les plus nobles monuments, le génie humain, l'âme de la France, créatrice de chefs-d'œuvre, resplendit, floraison auguste, profaner, dévastations administratives, vandalisme, l'honneur, nous nous en remettons à vous, l'éloquence, l'amour, notre cri d'alarme, nos raisons, déshonorer, une protestation

Comme on peut le voir dans cette liste de mots, ce n'est pas seulement le vocabulaire choisi qui révèle la subjectivité du texte, en montrant par exemple les sentiments violents des auteurs (leur colère, leur admiration pour Paris, leur horreur devant le nouveau monument). C'est aussi l'usage de l'hyperbole (figure de style qui met en valeur une idée au moyen d'une expression qui la dépasse), de l'exagération, et du « nous » soulignant l'action collective cherchant à faire pression sur les décideurs.

C

Voici une réponse possible :

> À chacun(e) son opinion. Il est toutefois intéressant de voir l'hostilité qu'a rencontrée, lors de sa construction, le monument le plus visité de la capitale et qui représente Paris dans le monde.

Activité 3.3.3

A

1 (a) longue ; monumentale ; démesurées ; la forme d'un tunnel ; trois cents mètres ; gigantesque ; hauteur ; colosses ; grand ; grandeurs ; assez haut ; édifice ; monumental

   (b) chenille ; affreuse bâtisse ; pâtissier prétentieux ; nougatine ; horreur ; redoutable ; affreuse ; fantastique ; monstre ; cauchemar ; hante l'esprit ; effraie ; pointe de fer épouvantable ; n'est curieuse ; phénomènes ; ni beau, ni gracieux, ni élégant ; diabolique ; délire ; imbéciles ; vilaine folie ; édifice colorié ; mauvais goût

2 (a) une espèce de longue chenille monumentale coiffée de deux oreilles démesurées ... qui semble conçue par un pâtissier prétentieux et rêvant de palais de dessert en biscuits et en sucre

candi ; cette nougatine ; une corne unique et gigantesque ; l'entreprise diabolique d'un chaudronnier atteint du délire des grandeurs ; un temple de carton peint avalé par un terminus-hôtel

(b) La Tour... prends garde ; Après les phénomènes de chair, voici les phénomènes de fer ; « Est-ce assez haut ? » ... « Est-ce assez beau? » ; ... qui appartient à l'art lyreux par sa décoration et à l'art lyrique par sa destination

B

Il reproche à l'architecture de son époque d'avoir perdu la notion d'esthétique. On ne sait plus se servir des matériaux pour faire du beau et on a perdu le sens des proportions et de la simplicité.

C

Voici une réponse possible :

Peut-être que la notion d'esthétique a changé depuis 1886. L'esthétique est quelque chose qui appartient à son époque, et ce qui était laid du temps de Maupassant ne l'est plus. D'ailleurs, les monuments dont il se moque sont aujourd'hui parmi les plus visités du monde. Les matériaux de construction ont aussi changé : l'usage des métaux, du verre ou du plastique a permis de faire toutes sortes de nouveaux monuments, de l'affreux comme du grandiose. À Paris, la pyramide du Louvre ne jure pas avec le classicisme du musée. Il est vrai que le classique a l'attrait du temps passé et ses géométries parfaites, mais il n'exclut pas le moderne. Je pense donc qu'à toutes les époques il se construit des bâtiments superbes et d'autres laids.

Activité 3.4.1 _____

Les treize étapes de l'histoire de Martine sont les suivantes :

1 Elle s'appelait Martine. Elle avait 39 ans et était mariée avec Robert depuis vingt ans. ... Elle avait passé ces vingt années à la maison, à s'occuper de son mari et de ses enfants.

2 Elle pensait qu'il était temps de refaire un peu sa vie...

3 Giselle a conseillé à Martine d'aller dans un centre d'orientation professionnelle afin de faire évaluer ses aptitudes.

4 Martine s'est rendue au centre d'orientation professionnelle de sa ville.

5 Dans l'autobus ... elle a rencontré Josette ... Josette lui a conseillé de faire de même et lui a promis de l'aider.

6 Martine a dû remplir de nombreux formulaires pour s'inscrire à un cours du soir dans un collège.

7 En arrivant au collège...

8 Robert ... l'attendait dans le hall d'entrée. L'air furieux, il est venu la voir...

9 Martine ... a pensé qu'il valait mieux rentrer à la maison et éviter une scène devant tous les autres étudiants...

10 Josette a interpelé Robert et lui a fait honte en le traitant d'égoïste et de phallocrate...

11 Robert est entré ... Il lui a dit qu'il avait réfléchi à la situation, que Josette avait raison...

12 Martine en est à sa troisième année d'études.

13 Il ne lui en reste que quatre avant d'obtenir son diplôme !

Activité 3.4.2

Voici une réponse possible. Rappelez-vous de donner au caractère principal un nom et de décrire son milieu pour rendre votre histoire plus intéressante.

Il était une fois un jeune paysan de vingt-huit ans qui avait du mal à exploiter un champ plein de cailloux situé dans le nord de la France, dans un petit village près de Vimy. C'était un beau jeune homme, blond aux yeux gris. Il mesurait un mètre cinquante et chaussait du quarante-cinq. Il avait hérité de la ferme de ses parents qui étaient partis en Amérique faire fortune dans les casinos de Las Vegas. Antoine, puisque c'était son prénom, voulait trouver un moyen de débarrasser son champ des cailloux qui l'empêchaient de cultiver ses betteraves à sucre. Un jour, il a vu une annonce dans une revue pour agriculteurs qui vantait les mérites d'une nouvelle machine à broyer les cailloux. La poudre provenant des cailloux broyés pouvait servir ensuite à faire des briques très spéciales...

NB « Il était une fois » est la formule utilisée pour commencer les contes de fées français. Ils finissent avec une autre formule (au passé simple) : « Ils se marièrent et eurent beaucoup d'enfants ».

Activité 3.5.1

Voici le texte original de Maupassant. Les erreurs sont corrigées en caractères gras.

Nous venions de passer Gisors, **où** (pronom relatif) je m'étais réveillé en entendant le nom de la ville **crié** (c'est le nom qui est crié, pas la ville) par les **employés** (accord), et j'allais m'assoupir de nouveau, quand une secousse épouvantable me jeta sur la **grosse** (orthographe) dame qui me faisait vis-à-vis.

Une roue s'était **brisée** (accord) à la machine qui gisait en travers de la **voie** (la voie ferrée, pas la voix). Le tender et le wagon de bagages, **déraillés** (accord) aussi, **s'étaient** (accord) **couchés** (accord) **à côté** (orthographe) de cette mourante qui râlait, geignait, sifflait, **soufflait** (accord du verbe), crachait, ressemblait à ces **chevaux** (confusion phonétique entre chevaux et cheveux) **tombés** (accord) dans la rue, dont le flanc bat, dont la poitrine palpite, dont les naseaux fument et dont tout le **corps** (orthographe) frissonne, mais qui ne **paraissent** (accord du verbe) plus capables du moindre effort pour se relever et se remettre **à** (conjonction de coordination) marcher.

Il n'y avait ni morts ni **blessés** (accord), **quelques** (accord) contusionnés seulement, car le train n'**avait** (accord du verbe) pas encore repris son élan, et nous regardions, **désolés** (accord), la grosse bête de fer estropiée, qui ne pourrait plus nous traîner et qui barrait la route pour longtemps peut-être, car il faudrait sans doute faire venir de Paris un train de **secours** (orthographe).

Activité 3.5.2

Voici les mots absents :

1. qui (pronom relatif sujet)

2. tout à coup (ou bien « soudain » : « apparut » est au passé simple, temps utilisé pour décrire une action située à un moment précis du passé)

3. qui (« qui » est placé directement avant le verbe et constitue son sujet)

4   que (pronom relatif objet. Cette phrase complexe et inversée signifie qu'« un repos » suivi des « périodes de pas rapides »)

5   quand (ou bien « lorsque »)

6   puis (ou bien « ensuite »)

7   laquelle (pronom relatif composé remplaçant « maison » et qui est donc féminin)

8   puis (ou bien « ensuite » ou « enfin »)

9   le (pronom objet)

10   quand

Activité 3.5.3

A

Voici une réponse possible :

Il était une fois un jeune paysan de vingt-huit ans qui avait du mal à exploiter un champ plein de cailloux situé dans le nord de la France, dans un petit village près de Vimy. C'était un beau jeune homme, blond aux yeux gris. Antoine, puisque c'était son prénom, voulait trouver un moyen de débarrasser son champ des cailloux qui l'empêchaient de cultiver ses betteraves à sucre. Un jour, il a vu une annonce dans une revue pour agriculteurs qui vantait les mérites d'une nouvelle machine à broyer les cailloux. La poudre provenant des cailloux broyés pouvait servir ensuite à faire des briques très spéciales.

Antoine est parti en tracteur et il est allé à l'usine qui produisait les broyeurs. À son arrivée dans Vimy, il a découvert qu'il était perdu. Il s'est arrêté à une station d'essence pour demander son chemin. Un pompiste qui s'appelait Jean lui a dessiné un plan, lui a donné son numéro de portable et l'a invité à l'appeler s'il ne trouvait pas son chemin.

Vimy était entouré de zones industrielles qui se ressemblaient toutes. Antoine en a traversé dix avant de trouver la bonne. Le réservoir d'essence de son tracteur était presque vide quand il est finalement arrivé à l'usine. Le propriétaire était un homme grand et mince avec des yeux sombres et perçants et le nez de travers. « Payez-moi d'abord, » lui a-t-il dit. Mais Antoine n'avait pas d'argent liquide sur lui.

« Bon! Vous pouvez me payer en briques, » lui a dit alors le propriétaire. « Vous pouvez garder la machine en échange de cent briques par jour, à m'apporter avant la fermeture. Mais une minute de retard, et je récupère votre ferme ! »

Antoine venait juste de sortir de l'usine quand son tracteur est tombé en panne d'essence. Le propriétaire de l'usine a haussé les épaules en disant : « Je n'y peux rien ! C'est votre affaire! »

Ne sachant que faire, Antoine a appelé Jean le pompiste, qui est venu le rejoindre avec un bidon d'essence. Ils sont partis ensemble pour la ferme et ont broyé assez de cailloux pour produire cent briques.

Ils sont revenus à l'usine quatre minutes avant le coucher du soleil. Le propriétaire de l'usine n'en croyait pas ses yeux : « Je ne peux quand même pas vous louer une machine en échange de briques ! J'ai une affaire à faire tourner, moi ! »

« Moi aussi ! » a répondu Antoine, qui lui a donné ses cent briques en échange du broyeur comme convenu. Grâce à son nouveau broyeur, Antoine s'est mis à produire les meilleures betteraves du pays.

B

La correction est moins intéressante que l'activité de création, mais rien n'est plus ennuyeux pour un écrivain que de se retrouver dans la situation suivante : vous venez de passer des heures à écrire un conte. Vous le montrez à un(e) ami(e) et cette personne s'exclame : « Dis-donc, « éléphant », ça s'écrit avec deux « f » ? » alors que la seule chose qui vous intéresse est de savoir si votre histoire a ému ou amusé son lecteur... La vérification de l'orthographe et celle de l'accord entre les noms et les adjectifs qui les accompagnent sont cependant essentielles pour permettre la compréhension du texte.

C

Voici une réponse possible. Les changements sont en caractères gras.

Il était une fois un jeune paysan de vingt-huit ans, un beau jeune homme, blond aux yeux gris, **qui avait hérité de son père** un champ **à la sortie du village**, près de Vimy, au nord de la France. **C'était malheureusement un terrain pierreux** qu'il avait bien du mal à **cultiver, du fait qu'il était seul sur l'exploitation.** Antoine, puisque c'était son prénom, voulait trouver un moyen de débarrasser son champ des cailloux qui l'empêchaient de cultiver ses betteraves à sucre. Un jour, il a vu une annonce dans une revue **agricole** qui vantait les mérites d'une nouvelle machine à broyer les cailloux. La poudre provenant des cailloux broyés pouvait servir ensuite à faire des briques **spécialisées.**

Antoine est parti en tracteur et il **s'est rendu** à l'usine qui produisait les broyeurs. À son arrivée dans Vimy, il **s'est rendu compte** qu'il était perdu. **Comme il avait oublié sa carte routière chez lui,** il s'est arrêté à une station d'essence pour demander **sa route.** Un pompiste, qui s'appelait Jean **et qui avait l'air très sympathique,** lui a dessiné un plan, lui a donné son numéro de portable et l'a invité à l'appeler s'il ne trouvait pas son chemin.

Vimy était entouré de zones industrielles qui se ressemblaient toutes. Antoine en a traversé dix avant de trouver la bonne. Le réservoir d'essence de son tracteur était presque vide quand il est finalement arrivé à l'usine. Le propriétaire était un homme **dégingandé** avec des yeux sombres **de fouine** et un nez **crochu**. « **Réglez**-moi d'abord, » lui a-t-il dit. Mais Antoine n'avait pas d'argent liquide sur lui.

« Bon! Vous pouvez me payer en briques, » lui a **répondu** alors le propriétaire. « Vous pouvez garder la machine en échange de cent briques par jour, à m'apporter avant la fermeture. Mais une minute de retard, et **vous me cédez** votre ferme ! »

Antoine venait juste de sortir de l'usine quand son tracteur est tombé en panne d'essence. **Il a demandé de l'aide au propriétaire, qui** a haussé les épaules en disant : « Je n'y peux rien ! **Débrouillez-vous** ! »

Ne sachant que faire, Antoine a appelé Jean le pompiste, qui est venu le rejoindre avec un bidon d'essence. Ils sont partis ensemble pour la ferme et ont broyé assez de cailloux pour produire cent briques.

Ils sont revenus à l'usine **juste** avant le coucher du soleil. Le propriétaire de l'usine n'en croyait pas ses yeux : « Je ne peux quand même pas vous louer une machine en échange de briques ! J'ai une affaire à faire tourner, moi ! »

« Moi aussi ! » a répondu Antoine, qui lui a donné ses cent briques en échange du broyeur comme convenu. Grâce à son nouveau broyeur, Antoine s'est mis à produire les meilleures betteraves du pays.

Unité 4

Activité 4.1.1

Voici une réponse possible, tirée des trois premiers paragraphes du texte « Excursions à pied » (que vous avez rencontré dans l'activité 2.1.4) :

> **La partie** de la France dont **traite** ce volume **présente des endroits très intéressants** qu'on ne peut visiter qu'à **pied**. Les vrais touristes préfèrent même encore souvent aller à **pied** dans les montagnes, lorsqu'ils pourraient faire autrement.
>
> Un certain entraînement est toutefois utile aux personnes qui sont peu habituées à la marche, afin qu'elle ne leur soit pas trop pénible. On doit aussi pour cela éviter le plus possible dans **la nourriture** ce qui peut favoriser la production de la graisse : **aliments gras** et aliments dits d'épargne, farineux, sucre et boissons aqueuses, mais la machine humaine a néanmoins besoin, comme les autres, d'être bien alimentée. On doit également, pour s'entraîner, se priver d'**alcool** et de tabac.
>
> Le costume, en laine, sera plutôt léger, mais, surtout si l'on est sujet à **transpirer beaucoup**, on aura de quoi se couvrir à l'arrivée, particulièrement sur une hauteur, si l'on doit y stationner. Au besoin, ôter durant la marche **un vêtement** qu'on remettra en arrivant. Il sera encore bon alors de **boire** aussi peu que possible et plutôt chaud que froid, en tout cas à petites **gorgées**.

NB Veillez à employer les mots d'argot avec prudence : venant d'une personne de langue maternelle étrangère, ils pourraient ne pas convenir.

Activité 4.1.2

A

Voici des équivalents possibles :

- **le pébroque**   le parapluie
- **un bon paquet**   un bon nombre, un nombre important
- **des coins**   des endroits, des pays
- **ses potes**   ses amis

B

Les expressions utilisées avec ironie sont 2, 3 et 5.

Activité 4.1.3

Voici une réponse possible :

> **Les gens d'aujourd'hui** n'**arrêtent pas** de **polluer** la nature. **Les fleurs** et **les animaux** sauvages parce que gratuits, **ne** sont **pas respectés** et **sont détruits** par plaisir. On pourrait trouver dans le monde et en France même de nombreux exemples de cette attitude **triste**.
>
> En effet, autrefois, la nature était **dangereuse pour** l'homme qui devait s'en défendre. C'est d'ailleurs encore le cas aujourd'hui dans certains pays. C'est pourquoi, dans notre civilisation industrielle, bien que la nature ne soit plus **menaçante**, l'homme, **sans y penser**, chercherait, tout en **faisant oublier** le passé, à s'en protéger, **et même** à se venger d'elle.

Voici une réponse possible :

Le protocole de Kyoto entre les mains des pollueurs

Les chefs d'états de nombreux pays se sont réunis à Kyoto, au Japon, pour discuter des problèmes associés à l'environnement de la planète. Au cours de ce rassemblement, tout le monde ne partageait pas les mêmes convictions. En effet, les pays de l'Union européenne pensent qu'il est important de s'occuper d'urgence du problème du réchauffement de la planète. De leur côté, l'Australie, le Canada et les États-Unis ne pensent pas que ce problème soit pressant. Toutefois, il ne faut pas mettre seulement en cause ces trois pays car il faut se rendre à l'évidence que, si les pays industrialisés représentent moins de 25% de la population terrestre, ils consomment les trois quarts de l'énergie disponible pour le monde entier.

Pour le moment, nous pensons surtout au climat car les scientifiques les plus alarmistes pensent que le niveau des mers et des océans du monde va monter d'un mètre. Si cela est vrai, un grand nombre de pays vont être envahis par l'eau de manière permanente. D'autres états risquent de connaître la sècheresse.

Le manque d'eau potable pour la consommation des êtres humains et des animaux va entraîner l'augmentation d'épidémies de choléra, de paludisme et de typhoïde dans certains pays qui sont déjà pauvres et où la température va monter de 3 à 5 degrés.

Devant la gravité de la situation, on s'attendrait à ce que tous les pays représentés à la conférence prennent des décisions unanimes pour s'attaquer au problème. En réalité, le Canada, l'Australie et les États-Unis ont déclaré que signer l'accord de Kyoto mettrait en danger leurs intérêts commerciaux personnels. On dit aussi que de nombreux industriels européens sont de leur avis.

Il semblerait donc que certains pays et un certain nombre de gens pensent que leurs intérêts personnels sont plus importants que le réchauffement de la planète avec toutes ses conséquences tragiques pour l'humanité.

A

Voici des phrases et locutions possibles :

- Monsieur/Madame, ...
- Cher collègue/Chère collègue, ...
- Bien cordialement, ...
- Veuillez agréer, [...], l'expression de mes sentiments les meilleurs...

B

Voici des formules possibles :

	Courant	Formel
Lettre de demande d'information	Merci pour ces renseignements. Cordialement.	Je vous remercie pour ces renseignements et je vous prie d'agréer, Monsieur, l'expression de mes sentiments distingués.
Lettre de réclamation	Merci de rectifier cette erreur le plus vite possible. Cordialement.	En espérant que vous donnerez une suite satisfaisante à cette réclamation, je vous prie de croire, Madame, en l'expression de mes salutations distinguées.
Demande de service	J'espère que tu pourras m'aider. À bientôt.	Je vous suis d'avance extrêmement reconnaissante de l'aide que vous pourrez m'apporter, et je vous adresse mes remerciements les plus sincères.
Remerciements	Nous avons grâce à toi passé un très agréable séjour. Encore merci pour tout.	En vous remerciant une fois encore pour votre accueil très chaleureux, nous vous prions de croire, Madame, en nos sentiments les meilleurs.
Invitation	J'ai hâte de vous voir la semaine prochaine ! Amitiés.	Dans l'attente du plaisir de vous revoir prochainement, je vous adresse mes cordiales salutations.
Lettre adressée à un(e) ami(e)	Grosses bises.	Je t'embrasse affectueusement.

Voici un exemple de ce que vous auriez pu écrire. Vous pouvez noter les expressions en gras, qui peuvent être employées dans les lettres officielles.

Jean Aimar[1]
3 rue du Parc
St Josse-lez-Cassel

Le 7 juillet 2009

À Madame Dupont, maire de St Josse-lez-Cassel

Objet : Implantation du conteneur à verre à l'entrée du parc municipal

Madame la Maire,

J'ai l'honneur de porter à votre connaissance que les résidents de la rue du Parc trouvent que la récente implantation d'un conteneur à verre usagé constitue une nuisance sérieuse. En effet, les éclats de verre et les tessons de bouteilles qui tombent sur le trottoir constituent un danger sérieux pour les passants qui empruntent la rue du Parc ainsi que pour les riverains. En hiver, ces morceaux de verre sont cachés sous la neige ou sont collés au trottoir par le gel, ce qui constitue dans les deux cas un danger certain. En été, l'odeur des bouteilles et des récipients mal lavés interdit aux habitants de la rue du Parc d'ouvrir leurs fenêtres. Sans compter les nuages de mouches qui volent au dessus du conteneur ! Voici, Madame la Maire, les raisons pour lesquelles les riverains de la rue du Parc font appel à votre bienveillance pour implanter le conteneur à verre dans un autre endroit de la ville où la nécessité de recycler le verre ne sera pas accompagnée par les inconvénients que nous subissons rue du Parc.

Veuillez agréer, Madame, l'expression de mes sentiments respectueux.

Jean Aimar

A

Voici une réponse possible :

> Si je voyais quelque chose comme ça sur une plage, je ferais un rapport au garde-côte, ou à un autre responsable, et je dirais aux parents d'éloigner leurs enfants du tuyau.

B

Voici ce que vous auriez pu écrire :

> Cher Marc,
>
> Merci de ta lettre de mercredi dernier. Je suis très content(e) que tes vacances au Portugal se passent bien. Tu as de la chance que le temps soit au beau fixe depuis ton arrivée.

---

[1] Homophone de « J'en ai marre » (fam.) qui veut dire « j'en ai assez ».

Ici, le temps est changeant. Figure-toi qu'hier, j'ai aperçu une sorte de gros tuyau à une extrémité de la plage. Il en sortait des liquides d'une couleur étrange, qui se déversaient sur la plage. Je ne sais pas ce que c'est, mais ça n'avait pas l'air très sain, et le pire, c'est que des enfants jouaient pas très loin de là. Je voulais signaler ce problème au surveillant de plage, mais je n'en ai vu aucun. Je pense que je devrais écrire au maire. Je ne voudrais vraiment pas que quelqu'un tombe malade !

Bon ! J'espère que tout se passera bien pour ton voyage de retour du Portugal. J'ai hâte de te voir la semaine prochaine !

Amitiés...

Activité 4.2.4

Voici une réponse possible :

> Monsieur le/Madame la Maire,
>
> J'ai l'honneur de porter à votre connaissance le fait que, au cours d'une promenade sur la plage, j'ai remarqué un égout qui déversait apparemment des liquides non identifiables sur le sable. Ces liquides, de couleurs différentes, m'ont paru potentiellement polluants, voire dangereux.
>
> Je vous serais reconnaissant(e) de bien vouloir me faire connaître l'origine de ces évacuations et de m'assurer que ces liquides ne représentent aucun danger pour les nombreux enfants qui jouent sur la plage et qui seraient attirés par les couleurs...
>
> Dans l'attente de votre réponse, je vous prie d'agréer, Monsieur/Madame, l'expression de mes sentiments respectueux.

Activité 4.3.1

A

Quotidiens	Informations à caractère local	Informations à caractère international	Lectorat aimant les détails et les statistiques	Lectorat de gauche	Journal fantaisiste
La Voix régionale	✓				
Nouveau Combat		✓		✓	
Les Dernières Nouvelles					✓
L'Information		✓	✓		

B

Voici une réponse possible :

Pour commencer, les deux articles ne sont pas de la même longueur, *La Voix régionale* compte 107 mots, alors que *L'Information* s'étend sur 490 mots. *L'Information* présente beaucoup de chiffres et de statistiques alors que le journal local ne semble s'intéresser qu'aux travaux d'un professeur de l'université locale. De plus, ce quotidien parvient aussi à féliciter un collaborateur local. Le but de *La Voix régionale* est d'attirer l'attention sur des faits ou des personnages de la région. En ce qui concerne *L'Information*, on peut dire qu'il s'adresse à des lecteurs qui aiment les sciences ou des sujets ardus. Le quotidien présente des faits formels par des statistiques, des données chiffrées et des citations.

C

But de l'article	*Nouveau Combat*	*Les Dernières Nouvelles*
Convaincre	✓	
Faire peur		✓
Distraire		✓
Donner des statistiques	✓	
Donner des justifications ésotériques		✓
Faire l'apologie de la redistribution équitable des ressources naturelles	✓	
Reconnaître l'importance du football pour son lectorat		✓

D

Etant donné que *Les Dernières Nouvelles* est une caricature d'une revue, voici comment on pourrait comparer son article à celui du *Nouveau Combat*, un journal de gauche :

Il suffit de lire la première et la dernière phrase de chaque quotidien pour connaître les objectifs de leurs éditeurs. *Nouveau Combat*, un quotidien de gauche, est préoccupé par une redistribution des ressources planétaires à l'échelle mondiale, alors que *Les Dernières Nouvelles* semble avoir pour objectif de distraire ou même d'effrayer son lectorat. *Nouveau Combat* veut convaincre son lectorat en appuyant son message sur des statistiques et des données chiffrées. De son côté, *Les Dernières Nouvelles* renvoie ses lecteurs et ses lectrices aux prophéties de Nostradamus et s'inquiète de l'effet possible des cataclysmes dans certaines parties du globe sur les matchs de football.

Activité 4.3.2

A

Voici ce que vous auriez pu écrire :

L'Intrépide, un de ces pétroliers battant pavillon de complaisance et bien connu de notre organisation, vient de s'échouer sur les côtes de la Méditerranée, à deux kilomètres de St Tropez. 220 000 tonnes de fioul ont été déversées d'un coup sur le littoral en pleine saison estivale et menacent gravement la faune et la flore marines. Les estivants sont eux aussi touchés, et la baignade est interdite sur des kilomètres. De gros paquets de mazout recouvrent des plages entières. C'est un produit qui non seulement est très salissant, mais dont certains spécialistes nous assurent qu'il est hautement toxique. Selon les medias, « le maximum sera fait par la compagnie pétrolière Santa Maria pour tout nettoyer ». Ceci reste à vérifier. Bien que la ministre de l'Industrie rappelle qu'en France, le boycott est illégal, les Verts demandent expressément au public de boycotter les stations service Santa Maria, pour affirmer le principe selon lequel les pollueurs doivent être les payeurs. Ce grave accident – un de plus – devrait nous encourager à soutenir le développement des énergies renouvelables qui, elles, ne risquent pas de salir notre pays.

B

Voici ce que vous auriez pu écrire :

Un pétrolier, l'Intrépide, vient de s'échouer sur les côtes de la Méditerranée, à deux kilomètres de St Tropez. 220 000 tonnes de fioul, produit très salissant mais non toxique, ont été déversées d'un coup sur le littoral en pleine saison estivale, menaçant gravement le tourisme. Il faut absolument réagir si nous ne voulons pas voir les touristes et les vacanciers déserter nos plages et nos hôtels, faisant perdre à notre pays les devises dont il a tant besoin. Le Gouvernement doit prendre ses responsabilités, comme il l'a déjà fait lors des précédentes marées noires. De toute façon, « le maximum sera fait par la compagnie pétrolière Santa Maria pour tout nettoyer ». La décision des Verts, qui demandent au public de boycotter les stations service Santa Maria, pour affirmer le principe selon lequel les pollueurs doivent être les payeurs, ne peut qu'endommager encore l'économie, en réduisant le nombre des pétroliers, et méprise la ministre de l'Industrie qui a rappelé qu'en France, le boycott est illégal.

Activité 4.4.1

A

Ce texte est écrit dans le registre courant.

B

Voici ce que vous auriez pu écrire :

Il y a très longtemps que les êtres humains ont commencé à endommager la nature. En se servant du feu pour brûler des sections de forêts pour pouvoir cultiver la terre, et aussi du bois pour faire des feux pour sa nourriture, l'homme a détruit presque toutes les forêts de la planète. Ensuite, les Grecs, les Romains et les autres conquérants de l'antiquité ont détruit les villes et les villages de leurs ennemis. Les découvertes de la Renaissance ont permis aux Européens de s'établir dans le monde entier, et ces déplacements ont apporté les maladies sur toute la planète. La Révolution industrielle, qui a généralisé l'emploi du charbon pour les machines à vapeur dans les usines et dans les transports, a augmenté l'impact de la pollution sur notre environnement. Le XIXe siècle a encore augmenté la pollution dans l'air, dans l'eau et sur la terre. Le XXe siècle a finalement apporté la pollution nucléaire.

Donc, on peut dire que l'expansion de l'industrialisation sur toute la planète, la mondialisation, c'est-à-dire la création d'une économie à l'échelle planétaire, une population humaine qui continue d'augmenter, et les difficultés économiques, ont détérioré considérablement la situation. Pire encore : nous dépensons follement nos ressources en énergie et en nourriture, ce qui met en danger notre propre existence et celle de nos enfants.

L'être humain a trop de confiance dans la technique, et il pense aujourd'hui pouvoir devenir complètement indépendant de la nature.

C

Voici ce que vous auriez pu écrire :

Certains éminents experts déclarent que, depuis très longtemps, les êtres humains endommagent la nature. Les recherches prouvent, vous le savez bien, qu'en se servant du feu pour brûler des sections de forêts pour pouvoir cultiver la terre, et en coupant le bois pour faire des feux pour sa nourriture, l'homme a détruit presque toutes les forêts de la planète. Ensuite, les Grecs, les Romains et les autres conquérants de l'antiquité ont détruit les villes et les villages de leurs ennemis. Les découvertes de la Renaissance ont permis aux Européens de s'établir dans le monde entier et, on le sait maintenant, ces déplacements ont apporté les maladies sur toute la planète. Vous n'ignorez pas non plus que la Révolution industrielle, qui a généralisé l'emploi du charbon pour les machines à vapeur dans les usines et dans les transports, a augmenté l'impact de la pollution sur notre environnement. Le XIXe siècle a encore augmenté la pollution dans l'air, dans l'eau et sur la terre. Le XXe siècle a finalement apporté la pollution nucléaire.

Donc, on peut dire que l'expansion de l'industrialisation sur toute la planète, la mondialisation, c'est-à-dire la création d'une économie à l'échelle planétaire, une population humaine qui continue d'augmenter, et les difficultés économiques, ont détérioré considérablement la situation. Pire encore : nous dépensons follement nos ressources en énergie et en nourriture, ce qui met en danger notre propre existence et celle de nos enfants.

Je vais vous dire une chose : l'être humain a trop de confiance dans la technique, et il pense aujourd'hui pouvoir devenir complètement indépendant de la nature.

Activité 4.4.2

Voici ce que vous auriez pu écrire sur le premier sujet suggéré : « La pollution mettra fin à la vie sur notre planète ».

Les médias nous rappellent tous les jours la nécessité de protéger notre planète. Mais sommes-nous vraiment concernés ?

Il est certain que pendant des siècles les gens ont vécu sans se préoccuper de leur environnement. Ils ont défriché, fait du feu, pollué les rivières et les fleuves. Ce n'est que dans la seconde moitié du XXe siècle que l'Europe a réalisé le danger du gaspillage et a commencé à trier et à recycler ses déchets.

Aujourd'hui, **il semble que** les gouvernements du monde entier se concertent et tentent de protéger les forêts et les espaces verts. Ils facilitent le recyclage, ils réglementent l'usage de l'eau, ils encouragent les transports en commun. Les décharges à ciel ouvert comme à Entressen, près de Marseille, étaient devenues une menace pour la santé des gens et des animaux, et on est en train de les interdire. La guerre au gaspillage se poursuit dans tous les pays développés. Il est vrai que beaucoup de pays ont pris l'habitude du recyclage : les pays africains, par exemple, ont toujours recyclé leurs matériaux et pourraient donner des conseils aux autres. L'Europe fait de gros efforts pour développer les sources d'énergies renouvelables, construisent des éoliennes et captent l'énergie solaire et géothermique.

Alors, la bataille de l'environnement est-elle en train d'être gagnée ? **D'après moi**, la situation, loin de s'améliorer, s'empire chaque jour. Les gens continuent à préférer leur voiture au train et au car. Les services d'hygiène enterrent chaque semaine des tonnes d'objets de toutes sortes. Les forages pétroliers et les centrales nucléaires menacent la planète, et les gouvernements des pays riches préfèrent payer plutôt que de diminuer leur pollution. **Il est probable que**, si rien de plus n'est fait, la pollution mettra fin à la vie sur notre planète.

Faites maintenant les contrôles et cochez votre texte à chaque fois que vous avez employé l'une des expressions que nous avons suggérées.

Unité 5

Activité 5.1.1

Voici ce que vous auriez pu écrire :

Le style des deux textes est plutôt objectif et informatif avec l'accent mis sur les faits et les événements de la vie du personnage politique. Rien n'est dit ni sur les sentiments ni sur les réflexions personnelles du sujet ; il n'y a pas non plus de jugements de valeur ni d'évaluation personnelle de la part de l'auteur. Le registre est plutôt courant pour un texte informatif écrit. Les textes sont plutôt concis ; plusieurs phrases commencent par des éléments placés en apposition telles que : « En 1944, appuyé sur un mouvement de Résistance ; Irrité par le régime exclusif des partis, (Charles de Gaulle)... » ; « Fédérateur et chef de l'ensemble des mouvements de résistance... » ; « Élu député de la Nièvre... » ; « Ministre de la France d'outre-mer... » ; « Démissionnaire en 1953... » ; « Candidat unique de la gauche ..., (François Mitterrand)... ». Ce style est caractéristique des encyclopédies et d'autres ouvrages de référence.

Activité 5.1.2

A

Voici ce que vous auriez pu écrire :

Éric Lacroix est né à Montréal le 15 janvier 1888. Élève d'abord à l'École des Moineaux, il poursuit des études supérieures à la Sorbonne, où il s'intéresse à la politique. Ce n'est qu'après la mort de son père en France en 1915 qu'il commence des études de médecine. Il établit en 1919 le comité d'étudiants pacifistes, et en 1924 publie *La guerre contre la guerre*, ce qui mène à des accusations d'espionnage. Il s'exile en Espagne en 1933, mais subit un accident de cheval dans lequel il souffre d'une fracture de l'épaule. Il se fait soigner en Angleterre, où il prépare également son retour en France en 1935 et l'établissement du Parti démocratique indépendant (PDI) en 1936. En 1937, il se marie avec Pascale Lajoie avec qui il aura quatre enfants. Il devient président du parti en 1947, et il le dirige jusqu'à sa retraite en 1952. Au cours d'une visite à Londres en 1968, il tombe malade et il meurt le 24 décembre.

B

Voici encore un exemple de biographie courte, tirée d'un site Internet :

Mao Zedong

Né le 26 décembre 1893 à Shaoshan (Hunan), fils de paysans aisés, il est aide-bibliothécaire à l'université de Pékin où il se familiarise avec le marxisme, et participe, en juillet 1921, à la création du PCC (Parti communiste chinois). Élu au comité central en 1923, il est arrêté en 1927, s'évade et établit une base dans les monts Jinggang où il applique une réforme agraire. Il est attaqué par les forces de Tchang Kai-chek, mais la Longue Marche vers le nord-ouest (octobre 1934–octobre 1935) lui permet de gagner à la cause révolutionnaire de nombreux paysans. Porté à la tête du PCC en 1935, il en reste président jusqu'à sa mort. Face à l'invasion japonaise (1937), il conclut une trêve avec le Kuomintang. Avec la reprise de la guerre civile, l'Armée populaire de libération s'empare, en trois ans, de tout le territoire, et, le 1 octobre 1949, Mao proclame la République populaire de Chine, dont il est président du conseil, puis chef de l'État (1954–1959). Après avoir lancé sa campagne du Grand bond en avant, il rompt avec l'URSS. Le 18 août 1966, il lance la Révolution culturelle appuyée sur les Gardes Rouges. Le Grand Timonier, retiré de la vie publique en octobre 1970, meurt à Pékin, le 9 septembre 1976.

(« Personnalités – Mao Zedong », http://www.charles-de-gaulle.org/article.php3 ?id_article=810&var_recherche=mao+zedong, dernier accès le 30 septembre 2008)

Activité 5.1.3

	Descriptions physiques objectives	Opinions subjectives de l'auteur sur le physique ou l'apparence des personnages
Mme de Staël au sujet de Robespierre	Son teint pâle ; il portait seul de la poudre sur ses cheveux (c'est-à-dire qu'au milieu de la Révolution et de la Terreur, il était le seul homme à poudrer ses cheveux).	Ses traits étaient ignobles ; ses veines d'une couleur verte ; il n'était point mal vêtu ; ses habits étaient soignés ; sa contenance n'avait rien de familier.
Victor Hugo au sujet de Napoléon	Un homme de moyenne taille ; pâle ; lent ; il a la moustache épaisse.	Froid ; l'air de n'être pas tout à fait réveillé ; le sourire comme le duc d'Albe ; l'œil éteint comme Charles IX.

Activité 5.1.4

Voici ce que vous auriez pu écrire :

> Elle était petite, blonde et droite. Elle avait le front assez haut, le nez aquilin et fort, le menton volontaire, assez pointu. Elle portait ses cheveux bouffants, toujours impeccablement coiffés. Elle avait l'œil vif, le regard intense. Elle était toujours bien vêtue, très soignée. Elle portait d'ordinaire un sac à main, de qualité supérieure. Sa voix était puissante et un peu aigüe, et dominait facilement ses interlocuteurs.

Activité 5.2.1

- Mauriac utilise des expressions répétées et des progressions afin d'engager le lecteur et lui faire partager l'immense admiration qu'il ressent pour le général de Gaulle :

> un **homme** ... de cet **homme** – de cet **homme** seul.
>
> **C'est vers lui, c'est vers eux que** la France débâillonnée jette son premier cri, **c'est vers lui, c'est vers eux que**, détachée du poteau, elle tend ses pauvres mains.
>
> Mais **nous**, durant les soirs de ces hivers féroces, **nous** demeurions l'oreille collée au poste de radio, tandis que les pas de l'officier allemand ébranlaient le plafond au-dessus de nos têtes. **Nous** écoutions, les poings serrés, **nous** ne retenions pas nos larmes.

- Le vocabulaire employé, ainsi que les images brossées dans le texte, sont à forte connotation émotive.

La France est personnifiée en victime :

la France débâillonnée jette son premier cri ; la France humiliée et vaincue ; la France matraquée ; les crachats sur la face de la République outragée ; la France, trahie et livrée à ses ennemis

L'image de la France « détachée du poteau, elle tend ses pauvres mains » nous rappelle Jeanne d'Arc, l'héroïne nationale.

Cette personnification permet de renforcer l'image de de Gaulle en tant que vaillant sauveur de la France – « le jeune chef français ». Mauriac renforce cette image du jeune chevalier galant en l'opposant à Pétain.

Les forces nazies sont des « bourreaux » et ceux qui collaboraient avec eux sont des « valets » qui « cherchaient leur avantage, trahissaient » tout en se comportant comme des animaux – ils « flairaient le vent ».

Le sacrifice de de Gaulle est aussi souligné – il a fait « don de sa personne à la France » et l'accent mis sur « sa solitude » renforce l'idée que ses qualités et de ses capacités étaient uniques.

C'est donc de Gaulle seul qui a sauvé la France et les Français. L'image présentée des Français est celle d'une population qui attend, mais qui n'agit pas, à l'écoute de leur poste de radio dans des conditions difficiles et tendues :

... durant les soirs de ces hivers **féroces**, nous demeurions **l'oreille collée** au poste de radio, tandis que **les pas** de l'officier allemand **ébranlaient** le plafond au-dessus de nos têtes. Nous écoutions, **les poings serrés**, nous ne **retenions** pas nos **larmes**.

Seul de Gaulle, selon Mauriac, a le pouvoir de redonner aux Français de l'espoir et de les unir. Il le compare même au Christ à la fin du texte.

Activité 5.2.2

Voici ce que vous auriez pu écrire :

Il a assumé sa mission de président avec beaucoup de dignité, et non moins de sagesse politique ; il y a montré une fine intelligence alliée à une authentique bienveillance et un sentiment de responsabilité profonde à l'égard de son peuple. Universitaire et économiste distingué, il était aussi, grâce à ses convictions politiques, fortement engagé dans un processus de reconstruction nationale. Il a, en effet, réussi à guider son pays à travers un parcours exceptionnellement difficile et délicat, créant un climat de confiance et de sérénité qui a permis à d'anciens adversaires mortels d'entamer un dialogue réconciliateur et d'accepter que les institutions législatives et juridiques fonctionnent, de nouveau, d'une manière efficace et sûre.

Activité 5.3.1

A

Voici des détails que vous avez pu noter : l'analyse n'est pas exhaustive.

1 Mme de Staël emploie un vocabulaire virulent de la critique pour convaincre le lecteur des malfaisances de Robespierre :

fanatisme politique ; caractère de calme et d'austérité qui le faisait **redouter** de tous ses collègues ; son caractère **envieux** et **méchant** s'armait avec plaisir [des idées égalitaires] ; [il **voulait**] **seulement du pouvoir** ; il y avait quelque chose de **mystérieux** dans sa façon d'être, qui faisait **planer une terreur inconnue** ; **le désir de dominer**

2   Hugo se moque sans merci de l'empereur :

... qui « a l'air de n'être pas tout à fait réveillé » ;

... dont les plus grands exploits (selon Hugo !) se résument « à monter bien à cheval » et avoir publié « un Traité [la majuscule est ironique] assez estimé sur l'artillerie » ;

... qui aime – puisqu'il est « vulgaire, puéril, théâtral et vain » – tous les signes extérieurs du pouvoir ;

... qui « s'habille en général » – tout simplement parce qu'il est « parent de la bataille d'Austerlitz », c'est-à-dire le neveu du grand général Napoléon Bonaparte.

Le dernier paragraphe semble défendre l'empereur – « les chefs de la droite disaient volontiers de Louis Bonaparte : C'est un idiot. Ils se trompaient » – mais ce n'est que pour mieux le critiquer. En poursuivant « son idée fixe » – ce qui suppose qu'il est capable de « pensées enchaînées », il ne respecte ni « la justice », ni « la loi, la raison, l'honnêteté, l'humanité », etc.

B

Les expressions suivantes créent le caractère positif du texte :

mains fines, mais fortes ; regard sincère et sûr ; comportement vif et actif ; son humanité et aussi son humilité ; d'une élégance et d'une gentillesse naturelles ; toujours prête à soutenir les autres ; sa modestie.

D'autres procédés employés sont :

* l'allitération : « mains fines, mais fortes » ;

* les oppositions : « voluptueux mais maîtrisé », « un individu pas comme les autres », « on a découvert davantage sur le journaliste … que sur sa victime » ;

* les assertions : « elle tient parole », « on fait confiance », « elle nous protège ».

Remarquez que certaines des caractéristiques évoquées dans ce texte pourraient s'interpréter de façon négative : « C'est un individu pas comme les autres », « un moyen d'autoprotection pour ne pas trop se révéler », « on a du mal à reconnaître ses défauts ».

C

Voici ce que vous auriez pu écrire :

Ses mains fines, mais fortes, s'agitent sans cesse, et ses yeux fuyants et peu sincères ne disent pas la même chose que ses paroles : c'est par ce comportement nerveux et anxieux, volubile et trouble, animé mais non-maîtrisé, que l'on comprend son hypocrisie. C'est un individu pas comme les autres, qui se remarque tout de suite au-dessus de la foule – quelqu'un qui ne passera jamais inaperçu. Maladroite et laide, et toujours prête à abandonner les autres, on a du mal à en dire du bien. Son manque de communication est peut-être de trop, pourtant, et au cours d'un entretien à la télévision, on a découvert davantage sur le journaliste qui l'interviewait que sur son interlocuteur. Mais cela peut être également une stratégie de défense psychologique, un moyen d'autoprotection pour ne pas trop se révéler aux autres. Alors, finalement, est-ce un aspect positif ? Non ! Plutôt une façon de s'isoler des autres, de garder une distance publique, cultivée exprès pour se cacher, pour faire semblant d'être occupé à rendre service à un public habitué aux gestes grandioses et aux serments creux. Elle ne tient pas parole. On ne lui fait guère confiance : c'est pour cela qu'elle n'a pas été élue.

Activité 5.3.2

Voici ce que vous auriez pu écrire :

Borné, mesquin, n'ayant ni générosité de cœur ni perspicacité politique, il manquait à la fois d'imagination et d'intellect. Le front bas, le regard vague et perplexe, l'allure tendue et la poitrine gonflée comme s'il voulait se convaincre de sa propre importance, tout annonçait en lui un esprit médiocre et un caractère insignifiant. S'il fallait un aigle capable de percer à travers les nuages pour atteindre les hauteurs, on ne trouvait à sa place qu'un pingouin balourd et maladroit.

Activité 5.4.1

La biographie est celle du chanteur Georges Brassens.

Les mots qui manquent sont :

1 quitter ; 2 fournir ; 3 son ; 4 éclate ; 5 secouent ; 6 vie ; 7 libertaire ; 8 ses ; 9 mais ; 10 hypocrisie ; 11 la ; 12 faveur ; 13 anarchiste ; 14 envers ; 15 goût ; 16 pour ; 17 le ; 18 souvent ; 19 Gely ; 20 médecin ; 21 natale ; 22 pauvres ; 23 et ; 24 l' ; 25 part

Activité 5.4.2

Voici ce que vous auriez pu écrire :

Napoléon Bonaparte est né en 1769. Il est arrivé à l'âge d'homme quand la Révolution française commençait. Il a commandé l'artillerie des forces révolutionnaires avec succès au siège de Toulon en 1793. Il a été promu brigadier général quand il avait à peine 25 ans. Il est devenu le défenseur de l'idée révolutionnaire et de la France, parce que les régimes monarchiques des pays voisins voulaient les détruire. Il a aussi créé les bases mêmes de la France moderne.

Il était petit, assez maigre, avec un nez pointu, un menton fort, une bouche ferme, un regard perçant, et un front haut. Ses paroles et ses actions montraient du courage, beaucoup de sens commun, quelquefois de la profondeur, une grande ambition, beaucoup d'humanité et de générosité. Il a dit : « impossible n'est pas un mot français ! » et il a déclaré : « une puissance supérieure me pousse à un but que j'ignore ; tant qu'il ne sera pas atteint je serai invulnérable, inébranlable ; dès que je ne lui serai plus nécessaire, une mouche suffira pour me renverser ».

Sa contribution à la modernisation de la France a été grande : il a réorganisé l'armée, et aussi produit des innovations économiques et sociales – il a créé la Banque de France et la Bourse de Paris ; il a réformé les impôts et changé la situation des paysans qui avaient souffert beaucoup depuis des siècles ; il a fait construire 56 000 kilomètres de routes et 2 000 kilomètres de canaux ; il a créé des lycées et des grandes écoles et des centres de recherche ; il a ordonné la codification des lois, il a réformé l'administration, et créé des possibilités d'avancement selon le mérite. Il a rétabli la religion catholique et aussi assuré la liberté du culte pour les Protestants et pour les Juifs. Sa codification des lois est toujours la base du Code Civil en Belgique, au Québec et dans la Louisiane, aux Pays-Bas, en Italie, en Espagne, et dans plusieurs pays d'Amérique du Sud.

On comprend les mots de Victor Hugo, grand admirateur de Napoléon, qui disait : « Tout dans cet homme était démesuré et splendide. Il était au-dessus de l'Europe comme une vision extraordinaire. »

Activité 5.5.1

A

Le thème principal du texte est la transformation de la gare d'Orsay en grand musée national.

B

- Premier paragraphe : Orsay au temps où c'était une gare.

- Deuxième paragraphe : Les années d'abandon.

- Troisième paragraphe : La transformation en musée.

- Quatrième paragraphe : Un musée impressionnant.

- Cinquième paragraphe : Des collections fabuleuses.

Activité 5.5.2

Voici des réponses possibles :

1 (a) progressivement

   (b) absolument, totalement

   (c) particulièrement

   (d) pour solutionner

2 (a) On a inauguré le musée à temps.

   (b) La seule solution efficace serait de contacter d'urgence l'hôpital.

   (c) La génétique a connu des changements profonds.

   (d) Un seul des cas étudiés permet de conclure avec précision.

Activité 5.5.3

A

Voici des réponses possibles :

1 la route, la trajectoire, le cheminement

2 pour

3 organisée, construite

4 extraordinaire

5 passée, ancienne, terminée

6 maison, domicile

7 la métamorphose, le changement

8 ouvert avec éclat

9 un projet

B

Voici des réponses possibles :

1 Sa métamorphose de gare en musée fut longue, insolite et complexe.

2 Monument classé en 1978, il ne fut pas détruit.

3 Séparé du Louvre par la Seine, c'était l'endroit parfait.

4 Par sa taille inhabituelle, il offre des possibilités nouvelles pour un musée.

5 On y a installé les œuvres conservées au Louvre et au musée d'Art moderne.

Activité 5.5.4

A

Voici une réponse possible :

> Aujourd'hui **la pyramide du Louvre fait partie du paysage de Paris, au même titre que la tour Eiffel**, comme le disait l'écrivain-voyageur Paul Morand « La France n'est vraiment connue à l'étranger que pour Napoléon, la Dame aux Camélias et la tour Eiffel ». Pourtant, **au moment de leur construction, ces deux**

édifices furent violemment contestés.

Après la phase d'études, **le projet de rénovation de l'entrée du Louvre est confié à l'architecte sino-américain Ieoh Ming Pei**. Très vite chez Pei s'impose l'idée de donner de l'espace au Louvre par le sous-sol et d'excaver la cour Napoléon. **Il conçoit une pyramide translucide** pour éclairer ce sous-sol et donner au musée une entrée digne de lui.

Une fois connue du public, **l'idée déclencha une vaste polémique** avec les opposants traitant la pyramide de « scandale » ou « d'atrocité ». Dans le camp des « contre » on retrouve un ancien ministre de la Culture. Dans le camp des « pour » le président Mitterrand. Historiquement **cette polémique rappelle celle qui accompagna la naissance de la tour Eiffel**, un siècle plus tôt. À l'époque il s'agissait de réaliser un édifice exceptionnel pour l'Exposition universelle de 1889. En février 1887, pendant la construction, le journal *Le Temps* publia une « Protestation des artistes » signée des noms les plus célèbres de l'époque.

Pourquoi des édifices si contestés se sont si bien intégrés dans le paysage parisien ? Tout simplement parce qu'**ils ont été plébiscités par le public** et la tour Eiffel – qui à l'origine était conçue comme provisoire – connut une seconde vie grâce aux débuts de la radio, sa situation exceptionnelle servit aux premiers essais de transmission en 1905. Quant à la pyramide du Louvre **elle symbolise désormais le musée et figure en bonne place sur les cartes postales et les couvertures des guides**.

B

Voici une réponse possible :

Aujourd'hui la pyramide du Louvre fait partie du paysage de Paris, au même titre que la tour Eiffel, (comme le disait l'écrivain – voyageur Paul Morand « La France n'est vraiment connue à l'étranger que pour Napoléon, la Dame aux Camélias et la tour Eiffel ».) Pourtant, au moment de leur construction, ces deux édifices furent violemment contestés.

Après la phase d'études, le projet de rénovation de l'entrée du Louvre est confié à l'architecte sino-américain Ieoh Ming Pei. (Très vite chez Pei s'impose l'idée de donner de l'espace au Louvre par le sous-sol et d'excaver la cour Napoléon.) Il conçoit une pyramide translucide pour éclairer ce sous-sol et donner au musée une entrée digne de lui.

Une fois connue du public, l'idée déclencha une vaste polémique avec les opposants traitant la pyramide de « scandale » ou « d'atrocité ». (Dans le camp des « contre » on retrouve un ancien ministre de la Culture. Dans le camp des « pour » le président Mitterrand.) Historiquement cette polémique rappelle celle qui accompagna la naissance de la tour Eiffel, un siècle plus tôt. (À l'époque il s'agissait de réaliser un édifice exceptionnel pour l'Exposition universelle de 1889. En février 1887, pendant la construction, le journal *Le Temps* publia une « Protestation des artistes » signée des noms les plus célèbres de l'époque.)

Pourquoi des édifices si contestés se sont si bien intégrés dans le paysage parisien ? Tout simplement parce qu'ils ont été plébiscités par le public (et la tour Eiffel – qui à l'origine était conçue comme provisoire – connut une seconde vie grâce aux débuts de la radio, sa situation exceptionnelle servit aux premiers essais de transmission en 1905.) Quant à la pyramide du Louvre elle symbolise désormais le musée et figure en bonne place sur les cartes postales et les couvertures des guides.

C

Voici une réponse possible :

Tout comme la tour Eiffel, la construction de la pyramide du Louvre a provoqué des polémiques mais elle a été approuvée par les Français et elle est devenue le symbole du musée ainsi que du tourisme parisien.

Activité 5.5.5

Voici un résumé d'« Une métamorphose architecturale ». Cet exemple est au passé simple, mais vous auriez pu écrire votre propre texte au passé composé.

Construite en 1900 pour l'Exposition universelle, à l'âge des chemins de fers à propulsion électrique, la gare d'Orsay s'avéra inadaptée à la longueur des trains modernes et tomba à l'abandon un demi-siècle plus tard. Scène de film ou de théâtre dans les années 60 et 70, elle ne fut pas démolie, préservée pour sa remarquable architecture métallique. Le président Giscard d'Estaing décida de lui dédier l'impressionnisme et le postimpressionnisme, mal logés en face, au Jeu de paume. Orsay devint donc musée en 1986, ouvert avec éclat par le président Mitterrand. Par sa taille grandiose et d'une réputation internationale, il incarne le prestige artistique du XIXe siècle. Au-delà de l'impressionnisme, ses collections prestigieuses regroupent le patrimoine de cette époque, de France et d'ailleurs.

Unité 6

Activité 6.1.1

A

1   « **Charité bien ordonnée** »

Orientation

Un avare notoire vient de faire un don important à une œuvre de charité.

Action

Mais le lendemain, un homme sonne à sa porte :

« Merci, monsieur, pour le chèque que vous nous avez envoyé et qui nous permettra de faire beaucoup de bonnes œuvres. Cependant je dois vous signaler un petit oubli de votre part. Vous êtes distrait sans doute, car ce chèque, vous avez oublié de le signer... »

Résolution

« Détrompez-vous », dit l'avare. « Ce n'est pas de la distraction. C'est qu'en matière de générosité, étant d'un naturel très modeste, je préfère rester anonyme... »

2   « **À l'hôtel** »

Orientation

J'arrive à l'hôtel. J'adore ça, arriver dans un hôtel surtout lorsque celui-ci est confortable et que dans la salle de bains se trouve un bric à brac de sachets et mini flacons de shampooing, sels de bains et autres futilités qui rendent la vie agréable... Bref, c'était le cas.

Action

Drapée, au sortir du bain moussant, dans une large serviette chaude et blanche, j'avise un des échantillons et m'en tartine largement le visage. Celui-ci réagit rapidement. Le produit agissait à n'en pas douter puisqu'un léger picotement se manifesta suivi d'une impression d'étirement qu'il fallait bien attribuer à l'efficacité du masque qui devait redonner à ma peau un éclat sans pareil...

Picoter, oui, étirer oui ! mais trop, non. Je décide donc de mettre fin à l'épreuve et par curiosité chausse mes lunettes pour lire la marque, décidée à la boycotter...

Résolution

La marque était sans doute excellente, mais pour des chaussures !

B

Dans « À l'hôtel », la phrase finale « Vous l'aurez compris, je m'étais tartinée de cirage incolore » sert d'évaluation en soulignant le côté amusant/inattendu de l'histoire.

C

Le manque de résumé et de coda s'explique sans doute par le fait que ces deux anecdotes sont écrites et ne font pas partie d'une conversation interactive. Le résumé sert à marquer la transition dans une conversation envers une anecdote alors que la coda marque la fin de l'anecdote et le retour à la conversation.

Activité 6.1.2

Voici une version du conte « Charité bien ordonnée » transformé en conversation entre deux amis :

André entre dans le Café de la Gare et aperçoit son copain Julien qui, assis à une petite table, consomme un pastis. Il s'approche de son ami et le salue chaleureusement :

« Alors Julien, comment vas-tu ? Cela fait au moins une semaine que je ne t'ai pas vu. »

« Ah, salut André, assieds-toi, je te paie un verre. Qu'est-ce que tu prends ? »

André montre le verre de son ami de la main et déclare :

« La même chose. »

Julien passe sa commande au serveur qui nettoie une table derrière eux. Une fois servi, André commence à boire son apéritif, pousse un long soupir de satisfaction et exprime sa reconnaissance à son ami :

« Merci. Tu es bien généreux de me payer un verre alors que, si je m'en souviens bien, c'est à moi de payer ma tournée puisque la dernière fois, c'est toi... »

« Ce n'est pas grave, au moins, on ne dira pas que je suis avare... En parlant d'avarice, je vais t'en raconter une bonne... Figure-toi que dimanche dernier, le club de pétanque a organisé une petite collecte pour les sinistrés du tremblement de terre en Chine. Le président du club, qui s'est bien senti obligé de donner quelque chose, m'a remis un chèque de cinquante euros. »

« Dupont ? »

« Oui, Jean-Marie Dupont. »

« Et moi qui le prenais pour un avare... »

« Eh bien, attends, tu avais raison. Figure-toi que plus tard, je me suis rendu compte qu'il avait oublié de signer son chèque. Alors je suis allé le voir chez lui pour lui signaler la chose. Et là, j'ai été complètement stupéfait. Alors que je lui expliquais la raison de ma visite, il m'a tout froidement déclaré qu'il ne s'agissait pas d'une erreur de sa part, mais qu'il n'avait pas signé le chèque parce que lorsqu'il était généreux, il préférait garder l'anonymat... »

« Quel grippe-sou ! »

« Alors là, je suis tout à fait d'accord avec toi. Et ce qui m'étonne toujours, c'est que c'est souvent ceux qui ont les moyens qui sont les plus radins mais veulent toujours le cacher. »

Les deux hommes rient un moment et sirotent leur apéritif en silence, en arborant un grand sourire. Rien ne rend les gens plus joyeux que les défauts des autres.

Vous avez sans doute remarqué au début le résumé – « En parlant d'avarice, je vais t'en raconter une bonne » – qui explique pourquoi Julien a choisi de raconter cette histoire. Vers la fin, c'est André qui exprime l'évaluation – « Quel grippe-sou ! ». Puis Julien termine l'histoire par une évaluation qui sert aussi de coda – « Et ce qui m'étonne toujours, c'est que ce sont ceux qui ont les moyens qui sont souvent les plus avares mais veulent le cacher ».

Notez aussi que cette version écrite de l'histoire a en quelque sorte sa propre évaluation, la « morale » de l'histoire : « Rien ne rend les gens plus joyeux que les défauts des autres ».

Activité 6.1.3

A

- **Structure des phrases**

    Dans « Notations », il y a des phrases incomplètes (p. ex. : « Dans l'S, à une heure d'affluence. » ou « Ton pleurnichard qui se veut méchant. »)

    Dans « Récit », toutes les phrases sont complètes, ce qui crée un style plus formel et moins immédiat.

- **Temps des verbes**

    Dans « Notations », les verbes sont tous au présent. Dans « Récit » au contraire, le passé simple est employé pour raconter les événements (« j'aperçus, il interpella, il abandonna, je revis ») et l'imparfait est utilisé pour la description du contexte (« qui portait, celui-ci faisait, il montait ou descendait »). Cette différence de temps renforce la formalité du style dans « Récit » tout en créant l'impression d'une suite d'événements située dans un passé lointain.

- **Choix du vocabulaire**

    Le vocabulaire dans « Récit » relève d'un registre moins familier/oral : « Cet individu / Le type en question, interpella / s'irrite contre, un ami / un camarade ».

    Il y a aussi plus de précision dans « Récit », p. ex. : « sur la plate-forme arrière d'un autobus ... de la ligne S (aujourd'hui 84) / Dans l'S ; un feutre mou entouré d'un galon tressé au lieu de ruban / chapeau mou avec cordon remplaçant le ruban ; interpella tout à coup son voisin en prétendant que celui-ci faisait exprès de lui marcher sur les pieds chaque fois qu'il montait ou descendait des voyageurs / Le type en question s'irrite contre un voisin. Il lui reproche de le bousculer chaque fois qu'il passe quelqu'un. »

    Là encore, cette expression plus précise contribue au style plus formel et distancié de l'événement et du narrateur.

- **Subjectivité**

    Dans « Notations », le lecteur peut « entendre » la voix personnelle du narrateur dans les petits commentaires du genre « cou trop long comme si on lui avait tiré dessus » et « Ton pleurnichard qui se veut méchant ». Ces commentaires subjectifs sont absents de « Récit ».

B

Dans « Récit » les événements sont racontés par un narrateur qui les a observés mais qui n'était pas un « personnage » dans l'histoire. Ce narrateur observe mais n'émet pas de commentaires sur le comportement des personnages ; il n'y a pas d'évaluation.

Dans « Le côté subjectif » les événements sont racontés par l'un des « personnages » – l'homme au chapeau. Sa perspective subjective est clairement exprimée : il commente sa tenue, les commentaires de X sont interprétés comme une critique et lui « gâchent son plaisir ». Selon lui, l'autre voyageur le « brutalise » et il reproche même leur simple présence aux autres voyageurs dans le bus ! Tout est vu de sa perspective très personnelle.

C

Queneau cherche à créer dans la variante « Le côté subjectif » l'impression d'un narrateur égocentrique. Ce qui le préoccupe c'est son apparence physique et les irritations que lui font souffrir les autres. La prétention et la vanité du narrateur sont renforcées par des emplois faussement « savants » (inventés par Queneau) – « ce jour-d'hui » (au lieu d'« **au**jourd'hui »), « autobi » (pluriel inventé d'« autobus », sur le principe du latin dont les noms singuliers en -us se transforment en pluriel -i), *populus* (mot latin signifiant « gens ») – et des expressions d'un registre légèrement désuet : « vêture, couvre-chef, rembarré, goujat, immonde ».

D

On pourrait considérer que la phrase « Je n'étais pas mécontent de ma vêture, ce jour-d'hui » sert de résumé au moins pour la première partie (premier paragraphe). Il est difficile d'identifier une ou des phrases qui constitueraient une coda. C'est justement dans la banalité de l'histoire – le manque de justification – que réside l'humour des *Exercices de Style*.

Activité 6.1.4 _____

Voici une réponse possible :

> Jean-Marie Dupont avait horreur de dépenser son argent. Par tous les moyens il essayait d'économiser le capital qu'il était parvenu à se faire au cours de quarante années de parcimonie. Lorsqu'il rencontrait des amis dans la rue, il refusait toujours d'aller au café avec eux, prétextant que sa femme voyait ce genre d'activité d'un mauvais œil. En réalité, il avait peur de devoir payer sa tournée après avoir bu l'argent des autres. Un jour, le maire du village est venu chez lui faire une collecte pour une société caritative. Il n'a pas osé refuser d'apporter sa contribution à une si bonne cause et a donné un chèque au maire.
>
> Un peu plus tard, le maire s'est aperçu que Jean-Marie Dupont avait oublié de signer son chèque, qu'il avait fait de cinquante euros. Quand le maire est allé lui rendre visite pour lui signaler son erreur, celui-ci a tout simplement et très froidement déclaré qu'il préférait garder l'anonymat lorsqu'il était généreux...

Activité 6.1.5 _____

Voici une histoire inspirée des objets suivants : des patins à roulettes, une cuillère en plastique et des roses.

> Il était une fois une fillette qui adorait faire du patin à roulettes. Elle s'appelait Agathe Deblouse. Elle avait douze ans et vivait avec ses parents dans la banlieue de Lyon. Son père était professeur de mathématiques, et sa mère était professeur de physique-chimie. Tous les deux enseignaient au lycée et n'avaient aucun doute sur l'avenir de leur fille unique qui, malgré quelques difficultés

scolaires, surtout en mathématiques, finirait un jour par continuer la tradition familiale dans l'enseignement.

Un jour, Agathe se livrait à son passe-temps favori dans un jardin public près du lycée en attendant ses parents qui corrigeaient les cahiers de leurs élèves avant de rentrer à la maison. Elle allait à droite et à gauche sur les allées du parc, tournait, s'arrêtait brusquement et repartait dans une autre direction.

Agathe s'amusait bien, jusqu'au moment où un de ses patins a écrasé une cuillère en plastique jetée par terre par un asocial qui aurait dû la mettre dans une des nombreuses poubelles mises à la disposition du public par les services de la mairie. Les roues du patin se sont bloquées et Agathe est partie brusquement dans la direction d'un banc où était assis un vieux monsieur. Agathe serait tombée si l'homme ne l'avait pas attrapée par le bras. La fillette l'a remercié et le vieux monsieur lui a fait des compliments sur sa façon de faire du patin à roulettes. Il lui a dit que, dans sa jeunesse, il avait été champion de patinage artistique, sur la glace, bien sûr, et qu'il voyait bien qu'elle avait des aptitudes certaines pour ce sport. Il a même ajouté que si ses parents étaient d'accord, il lui écrirait une lettre de recommandation pour qu'elle puisse s'inscrire aux cours d'Olga Pompaski, l'entraîneur de l'équipe de France. Agathe est partie montrer la carte de visite du monsieur à ses parents.

Monsieur et Madame Deblouse ont commencé par être totalement opposés aux nouveaux projets d'Agathe, mais, finalement, ils lui ont donné la permission de s'inscrire chez Madame Pompaski si elle passait le concours d'entrée pour les cours de patinage artistique.

Maintenant, Agathe est championne de patinage artistique et, chaque fois qu'elle apparaît sur la glace, les organisateurs de galas doivent embaucher plusieurs employés pour ramasser les nombreuses roses jetées sur la piste de patinage par les admirateurs et les admiratrices d'Agathe.

Activité 6.2.1

A

Voici des exemples possibles. Vous auriez pu en choisir d'autres.

Procédé utilisé	Exemple
Utilisation du présent de l'indicatif	Pasteur naît à Dole Pasteur découvre une série de bactéries. L'immunologie est née. Pasteur s'attaque alors à la rage.
Phrases courtes	Le cabinet est trop exigu. Ainsi soit-il. Et ce n'est qu'un début. Retombées immédiates.
Phrases concises grâce aux éléments placés en tête de phrase	Soucieux d'améliorer la condition de ses semblables, cet humaniste... Jurassien, Pasteur naît... Intrigué par la note d'un physicien, il... Acharné, Pasteur découvre...

B

Les verbes employés par l'auteur qui soulignent l'enthousiasme et le dévouement du scientifique : « se lance dans ; ouvre la voie ; se penche alors sur ; s'attaquant aux ferments ; acharné,... ; s'attaque alors ».

Les noms qui expriment l'énergie et l'engagement de Pasteur : « un tourbillon de générosité ».

Activité 6.2.2

1   En général, l'auteur nous communique l'intérêt, l'importance et l'aspect dramatique de la vie de Marie Curie plutôt par le détail qu'elle évoque dans son texte que par un éloge explicite du travail de la scientifique :

> Obtenir quelques milligrammes de radium assez pur pour pouvoir établir son poids atomique exige que des tonnes de pechblende soient traitées.

> La pluie traverse le toit vitré lorsque le soleil ne transforme pas le hangar en serre.

> Qu'un grain de poussière, une particule de charbon tombent dans l'un des bols où les solutions purifiées cristallisent, et ce sont des jours de travail perdus.

> ... il eut le sentiment d'assister à la célébration d'un culte dans un lieu sacré.

> Les précieux produits sont aussi une cause d'inexplicable lassitude. Pierre commence à souffrir de douleurs dans les jambes que le médecin de famille attribue à des rhumatismes, entretenus par l'humidité du hangar.

> « C'est impossible. »

> C'est impossible en effet. Il ne lui reste plus qu'à recommencer toutes les opérations qu'elle a menées pendant près de deux ans, sur huit tonnes de pechblende.

> C'est la fin d'une aventure sans précédent connu dans l'histoire de la science.

Tout ce détail nous communique l'immense effort que consacrait Marie Curie à ses recherches, ainsi que le sacrifice de Marie et Pierre Curie, dont la santé était gâchée par les effets de la radiation.

2   Le style du texte est assez sobre ; néanmoins l'auteur se permet quelques assertions qui soulignent le côté dramatique de l'histoire de Marie Curie :

> Ce que Marie va y faire, le souvenir en est resté gravé dans la mémoire de tous ceux qui l'ont vue.

> C'est la fin d'une aventure sans précédent connu dans l'histoire de la science. [...]

> Une thérapeutique, une industrie et une légende vont naître.

Dans cette biographie, les citations créent pour le lecteur une « intimité » avec le personnage principal et évoque le côté humain et personnel de la recherche scientifique :

> « Je passais parfois la journée entière à remuer une masse en ébullition avec une tige de fer presque aussi grande que moi » écrit-elle. « Le soir, j'étais brisée de fatigue... C'était un travail exténuant que de transporter les récipients, de transvaser les liquides et de remuer, pendant des heures, la matière en ébullition, dans une bassine en fonte. »

> « Dans notre hangar si pauvre régnait une grande tranquillité [...]. Nous

vivions dans une préoccupation unique, comme dans un rêve. »

« Nos précieux produits pour lesquels nous n'avions pas d'abri étaient disposés sur les tables et sur des planches ; de tous côtés on apercevait leurs silhouettes faiblement lumineuses, et ces lueurs qui semblaient suspendues dans l'obscurité nous étaient une cause toujours nouvelle d'émotion et de ravissement. »

Activité 6.2.3 _____

Voici un exemple de biographie, tirée d'un magazine scientifique :

Antoine Laurent Lavoisier – chimiste français (1743–1794)

Né en 1743 à Paris, Antoine Laurent de Lavoisier est le fils d'un procureur au Parlement. Ayant perdu sa mère très tôt, il est élevé, ainsi que sa jeune sœur, par sa grand-mère maternelle puis par sa tante restée célibataire. Il poursuit ses études au collège Mazarin, puis s'inscrit à la faculté de droit et en 1764 entame sa carrière au Barreau de Paris. Pourtant, il s'intéresse beaucoup aux sciences. De plus en plus attiré par les disciplines scientifiques, le jeune avocat décide d'accompagner le naturaliste Jean Guettard dans ses voyages autour de Paris afin de dresser l'Atlas minéralogique de la France. À 23 ans, il remporte une médaille d'or de l'Académie des sciences et en est élu membre dès 1768.

Cependant, Lavoisier entre dans la profession de fermier général[1] (responsable de la perception des impôts). Il est aussi nommé régisseur des poudres et salpêtres. Résidant à l'Arsenal, il fait étudier l'amélioration des poudres et réussit à quintupler la production de salpêtre grâce au développement des nitrières artificielles.

C'est dans son laboratoire de l'Arsenal que Lavoisier entreprend ses premières expériences en chimie. Introduisant l'usage systématique de la balance, il entame des travaux sur la combustion dès 1774. Cette année-là, il calcine de l'étain dans un vase clos et constate que la masse globale reste constante. Trois ans plus tard, il réitère son expérience avec du mercure. Restée célèbre dans les annales de la chimie, cette expérience lui permet de faire l'analyse de l'air, d'identifier l'oxygène et l'azote et de reconstituer l'air à partir de ces deux éléments. Il montre aussi, à l'instar de Cavendish[2], que l'eau est obtenue par combustion de l'hydrogène et qu'elle ne constitue donc pas un élément. Il établit de même la composition du gaz carbonique dès 1781, grâce à ses travaux sur le diamant.

Il s'intéresse aussi à la chimie appliquée à la biologie et montre que la chaleur animale provient d'une combustion mettant en jeu le carbone et l'hydrogène.

En ces temps révolutionnaires, Lavoisier partage l'enthousiasme populaire. Député suppléant aux États Généraux de

---

[1] Sous l'Ancien Régime, un fermier général était un financier qui prenait à ferme le recouvrement des impôts. De nos jours, on utilise le terme « percepteur des impôts » : c'est un fonctionnaire chargé de recouvrir les impôts directs.

[2] Henry Cavendish (1731–1810), physicien et chimiste britannique qui réalisa entre autres la synthèse de l'eau.

1789, il devient l'année suivante membre de la commission pour l'établissement d'un nouveau système de poids et mesures. Mais en 1793, après avoir supprimé l'Académie, la Convention impose l'arrestation de tous les fermiers généraux et Lavoisier se constitue prisonnier. Il est alors envoyé devant le Tribunal révolutionnaire et le 8 mai 1794, il est condamné à mort puis guillotiné. Le mathématicien Joseph Louis Lagrange (1736–1813) dira le lendemain : « il ne leur a fallu qu'un moment pour faire tomber cette tête et cent années peut-être ne suffiront pas pour en reproduire une semblable ».

(« Antoine Laurent Lavoisier », *Info Science*, 1998)

Activité 6.3.1

Voici ce que vous auriez pu écrire :

> Personnellement, je suis épouvanté(e) par ces recherches qui essaient de créer un hybride entre un animal et une machine. J'estime que c'est entièrement contre la nature. Cela ressemble à une histoire de science-fiction où figurent des androïdes ou des cyborgs. On a le sentiment de ne plus savoir où est la frontière entre les êtres vivants et les machines. Où est-ce que cela va mener ? On finira par pouvoir programmer les humains ! Ce n'est pas surprenant que les militaires s'y intéressent – mais c'est très troublant.
>
> Par contre, la possibilité de pouvoir faire de meilleures prothèses représente quelque chose de tout à fait positif, et si ces techniques permettent à des gens qui ont subi un grave accident de vivre pleinement, il me semble qu'on n'a pas le droit de s'y opposer. Et pour ce qui est de ces travaux qui permettent

à des gens sévèrement handicapés de communiquer, de se mouvoir et même de « retrouver une vie presque normale », là c'est la meilleure utilisation possible de ce nouveau domaine de recherche et de technologie. En fait, cela nous donne beaucoup d'espoir pour l'avenir : plus de maîtrise sur la nature, c'est aussi la possibilité de diminuer la souffrance.

Activité 6.3.2

A

Les deux derniers paragraphes expriment l'évaluation de l'auteur. Dans l'avant-dernier paragraphe, tout en reconnaissant que les tentatives du « plus lourd que l'air » sont « conçus dans un très honorable but », il affirme qu'elles ont « peu de valeur ». Son dernier paragraphe affirme que la défaveur que connaît le « plus lourd que l'air » est justifiée.

B

Deux raisons sont évoquées :

- Le « plus lourd que l'air » nécessiterait un moteur si puissant qu'il est inconcevable.

- Il existe déjà des appareils, les Montgolfières, qui permettent de « nous élever de terre » d'une manière facile et efficace.

Activité 6.3.3

Voici ce que vous auriez pu écrire :

> Appareil volateur ou la découverte du radium – laquelle de ces deux découvertes a changé le plus profondément l'humanité ?
>
> Selon la troisième loi de Newton, chaque action a une réaction égale et opposée, et ceci est le cas pour presque toute découverte. Le tout est de savoir si les bénéfices pèsent plus lourds que les coûts, non seulement à court terme,

mais aussi en ce qui concerne leurs effets à long terme sur l'équilibre de la nature : ce dernier point est plus difficile à démontrer quand les conséquences d'une découverte ne se produisent souvent que bien loin dans l'avenir.

La découverte de l'appareil volateur était inévitable dès que l'Homme a vu voler un oiseau pour la première fois. Maintenant, on prend pour acquis la facilité de voyager à peu près où l'on veut sur terre ; on y rencontre des gens de cultures, de langues, de coutumes différentes – des familles se réunissent dans les salles d'arrivée des aéroports, de Beijing à Acapulco ; des hommes d'affaires parcourent la moitié du globe rien que pour mettre une signature sur un contrat !

La découverte du radium, matière de base dans le développement des rayons X et les traitements du cancer, a fait avancer les connaissances médicales et les traitements thérapeutiques d'un grand pas. Cela a sûrement sauvé des vies. Il est impossible pourtant, sans être expert, d'énumérer les autres découvertes ou développements de connaissances scientifiques qui ont suivi, sans quoi on a du mal à peser les deux découvertes de manière équitable.

Néanmoins, nous devons reconnaître que le développement de l'aviation implique aussi son application aux méthodes de guerre, et quand nous y rajoutons la capacité des forces militaires à produire des armes nucléaires, on se demande si le monde n'aurait pas été mieux sans ces deux découvertes.

Le bilan des changements effectués par ces découvertes ne peut être accompli à notre époque, mais nous devons continuer, pour les futures générations, à être vigilants.

Activité 6.4.1

Cette activité n'a pas de corrigé.

Activité 6.4.2

Votre liste sera personnelle. Nous espérons que vous avez trouvé ce Cours d'écriture utile à l'amélioration de votre français écrit.

Acknowledgements

Grateful acknowledgement is made to the following sources for permission to reproduce material in this book:

Text

Pages 26–7 & 127: Sud-est de la France, Guide Touristique Baedeker de 1901, Verlag Karl Baedeker GMBH, with permission of Baedeker publishing house; *pages 31–2*: 'Les vieilles façades ont la peau dure', Libération, 29 January 1999, SARL Libération; *pages 35–6*: 'Jeanne Moreau en habit vert – rencontre avec une immortelle', 10 January 2001, © Emmanuèle Frois / Le Figaro / 2001; *page 47*: Broussard, P., 'Les Picasso du marqueur', Le Monde, 9 November 1990; *pages 61–2*: 'Le protocole de Kyoto entre les mains des pollueurs', Charlie Hebdo, no. 462, 25 April 2001, Éditions Rotative; *pages 72–3*: 'Charles de Gaulle: Biographie', Portail du Gouvernement – Premier Ministre, http://www.premier-ministre.gouv.fr; *pages 73–4*: 'François Mitterrand (1916–1996)', Présidence de la République, http://www.elysee.fr; *pages 78–9*: Mauriac, F., 'Le premier des nôtres', Le Figaro, 25 August 1944; *pages 83–4*: Canetti, C., 'Une métamorphose architecturale', Label France, no. 26, December 1996, Ministère des Affaires Étrangères; *page 86*: adapted from 'De la tour Eiffel à la Pyramide', 7 April 2006, http://louvre-passion.over-blog.com; *pages 93–4*: Raynal, F., 'De découverte en découverte', Label France, no. 19, Ministère des Affaires Étrangères; *pages 95–7*: Giroud, F., Une femme honorable, © Librairie Arthème Fayard, 1981; *pages 99–100*: Fraissard, G. and Manoury, C., 'La force des neurones', Le Monde interactif, 17 February 1996, Le Monde; *pages 149–50*: 'Antoine Laurent Lavoisier – chimiste français (1743–1794)', Info Science, 1998–2001.

Illustrations

Front cover (Bibliothèque nationale de France): © Taolmor | Dreamstime.com

Page 7: © Nina Matyszczak / iStockphoto; *page 23*: © iStockphoto; *page 41*: © Linde Stewart / iStockphoto; *page 49*: © Alain Vialleton; *page 59*: © Damianpalus |Dreamstime.com; *page 64*: © Elodie Vialleton; *page 71*: © Slovegrove | Dreamstime.com; *page 77*: http://commons.wikimedia.org/wiki/File:Franz_Xaver_Winterhalter_Napoleon_III.jpg; *page 84*: © Ludovic Rhodes / iStockphoto; *page 86*: © Hélène Pulker; *page 87*: © Sumnersgraphicsinc | Dreamstime.com; *page 91*: © Antoine Roger / iStockphoto; *page 102*: © Italianest | Dreamstime.com.

Every effort has been made to contact copyright holders. If any have been inadvertently overlooked, the publishers will be pleased to make the necessary arrangements at the first opportunity.